Sophie Trudeau

Mon babillard

Ateliers de grammaire

Cahier
B

ÉDITIONS DU RENOUVEAU PÉDAGOGIQUE INC.

5757, RUE CYPIHOT, SAINT-LAURENT (QUÉBEC) H4S 1R3
TÉLÉPHONE: (514) 334-2690   TÉLÉCOPIEUR: (514) 334-4720
erpidlm@erpi.com   w w w . e r p i . c o m

Directrice de l'édition

Murielle Villeneuve

Chargée de projet et réviseure linguistique

Stéphanie Bourassa

Correction d'épreuves

Marie Théorêt

Coordination graphique

Denise Landry

Conception graphique

Robert Dolbec

Réalisation graphique

Prose inc. – François Dubeau

Illustrations

Josée Masse

Dépôt légal : 2ᵉ trimestre 2005

Bibliothèque nationale du Québec

Bibliothèque nationale du Canada

ISBN 1-7613-1715-7

IMPRIMÉ AU CANADA

234567890 HLN 09876

10652 BCD OF10

Le contenu de ton cahier

Ateliers 1 à 10

Tes ateliers pour réussir l'accord dans les groupes du nom

Tu trouveras la présentation et la liste de ces ateliers **aux pages 4 et 5.**

Ateliers 11 à 28

Tes ateliers pour réussir l'accord du verbe

Tu trouveras la présentation et la liste de ces ateliers **aux pages 26 et 27.**

Ateliers 29 à 39

Tes ateliers pour apprendre à mieux construire et à enrichir tes phrases

Tu trouveras la présentation et la liste de ces ateliers **aux pages 68 et 69.**

Atelier 40

Défi de correction : synthèse

Tu trouveras cette activité synthèse **aux pages 92 et 93.**

Ton aide-mémoire grammatical

Tu trouveras le contenu de l'aide-mémoire **à la page 94.**

 Mémo

Tu trouveras une liste de tous les *Mémos* **à la page 104.**

 LES *TRUCS* DU MÉTIER

Tu trouveras une liste de tous les *Trucs du métier* **à la page 104.**

Dans les **pages intérieures de la couverture**, tu trouveras ceci :
• au début, une liste des abréviations et des pictogrammes utilisés dans ce cahier ;
• à la fin, une liste de tous les ateliers.

Ateliers 1 à 10

Tes ateliers pour réussir l'accord dans les groupes du nom

L'accord dans les groupes du nom (GN), ça te dit quelque chose? Ça ne devrait pas être complètement nouveau pour toi.

Les ateliers 1 à 10 te remettront en mémoire ce qu'il faut savoir pour appliquer la règle d'accord dans les GN. C'est une des règles les plus utiles en français. Pourquoi? Parce que dans les phrases que tu écris, il y a habituellement un ou plusieurs GN.

1 Tu dois savoir reconnaître les **noms**, les **déterminants** et les **adjectifs**.
C'est ce que tu travailleras dans les ateliers 1 et 2.

2 Tu dois t'exercer à repérer les **groupes du nom** dans les phrases.
C'est ce que tu travailleras dans l'atelier 3.

Pour réussir l'accord dans les groupes du nom (GN)

3 Tu dois savoir mettre les noms et les adjectifs au **féminin** et au **pluriel**.
C'est ce que tu travailleras dans les ateliers 4 et 5.

5 Tu dois t'exercer à appliquer la règle d'accord dans les GN.
C'est ce que tu feras dans les ateliers 7 à 10.

4 Tu dois connaître la **règle d'accord** dans les GN.
C'est ce que tu réviseras dans l'atelier 6.

Aussitôt que tu as terminé un atelier,
coche-le dans la liste suivante. Colorie aussi les visages
pour indiquer comment tu as trouvé l'atelier :

très facile ☺

facile ☺

difficile ☹

très difficile ☹

☐	**1**	Se rappeler ce qu'est un nom	☺ ☺ ☹ ☹
☐	**2**	Se rappeler ce que sont un déterminant et un adjectif	☺ ☺ ☹ ☹
☐	**3**	Repérer les GN dans les phrases	☺ ☺ ☹ ☹
☐	**4**	Travailler le genre des noms et des adjectifs	☺ ☺ ☹ ☹
☐	**5**	Travailler le nombre des noms et des adjectifs	☺ ☺ ☹ ☹
☐	**6**	Se rappeler la règle d'accord dans les GN	☺ ☺ ☹ ☹
☐	**7**	S'exercer à faire l'accord dans des GN (1)	☺ ☺ ☹ ☹
☐	**8**	S'exercer à faire l'accord dans des GN (2)	☺ ☺ ☹ ☹
☐	**9**	S'exercer à faire l'accord dans des GN plus étendus	☺ ☺ ☹ ☹
☐	**10**	Défi de correction : l'accord dans les groupes du nom	☺ ☺ ☹ ☹

Atelier 1

Ton objectif : te rappeler ce qu'est un nom

Activité A

- **Rappel : lis *Le nom propre* et *Le nom commun* à la page 95.**

Activité B

- **Nomme neuf objets que tu vois autour de toi. Écris un nom par ligne comme dans l'exemple.**

Ex. : _pupitre_____

1. _____   4. _____   7. _____

2. _____   5. _____   8. _____

3. _____   6. _____   9. _____

Activité C

- *Qui suis-je ?* Trouve le nom qui correspond à chaque énoncé.

Ex. : On peut me lire sur un thermomètre : t e_ m_ p_ é_ r_ a_ t_ u_ r_ e_.

1. Je suis le contraire de *malheur* : b __ __ __ __ __ __.

2. Je suis la pause des écoliers : r __ __ __ __ __ __ __ __ __.

3. Je suis le contraire de *lenteur* : v __ __ __ __ __ __.

4. Je suis un endroit où on voit des films : c __ __ __ __ __.

5. Je dure sept jours : s __ __ __ __ __ __.

Les mots que tu as écrits dans les activités B et C sont-ils vraiment des noms ?
Pour le vérifier, lis l'encadré de la page 7 et fais l'activité D.

Activité D

- **Récris chaque nom des activités B et C avec *un*, *une* ou *du*, comme dans l'exemple.**

1. Noms de l'activité B : _un pupitre,_____

_____

_____

2. Noms de l'activité C : _une température,_ _____

Pour savoir si un mot est un nom commun

Mets un déterminant comme **un**, **une**, **du** ou **des** devant le mot en question.

Ça ne se dit pas ?

Le mot n'est pas un nom.

Ça se dit ? Demande-toi alors si, dans la phrase, il est bel et bien question d'**une**..., d'**un**..., **du**... ou **des**...

Si oui, le mot est un **nom**.

Sinon, le mot n'est pas un nom.

Mon **ami**[1] me[2] montre[3] sa nouvelle[4] **montre**[5]. Quel **bonheur**[6]!

1 *Un* ami, ça se dit. Dans la phrase, on parle d'*un* ami : **ami** est un nom.

2 *Un* me, ça ne se dit pas : *me* n'est pas un nom.

3 *Une* montre, ça se dit, mais dans la phrase, on ne parle pas d'*une* montre. Ici, *montre* n'est pas un nom.

4 *Une* nouvelle, ça se dit, mais dans la phrase, on ne parle pas d'*une* nouvelle. Ici, *nouvelle* n'est pas un nom.

5 *Une* montre, ça se dit. Dans la phrase, on parle d'*une* montre : **montre** est un nom.

6 *Du* bonheur, ça se dit. Dans la phrase, on parle *du* bonheur : **bonheur** est un nom.

Activité E ···············

- **Dans le texte suivant, souligne les noms communs et entoure les noms propres. En tout, tu dois trouver 15 noms.**

Un matin, Brenda entend une explosion. Une météorite est tombée sur sa maison en

Nouvelle-Zélande. La pierre a percé le toit, rebondi sur un sofa, frappé le plafond et roulé sur

le plancher! Cette météorite serait plus vieille que la Terre. Elle a causé peu de dommages,

mais suscité beaucoup de curiosité.

Atelier 2

Ton objectif : te rappeler ce que sont un déterminant et un adjectif

Activité A

• **Rappel:** lis *Le déterminant* et *Les principaux déterminants* à la page 97. Lis ensuite *L'adjectif* à la page 98.

Activité B

• Ajoute des déterminants devant les noms suivants. Utilise chaque déterminant une seule fois.

Ex.: *ton* chien   *la* niche   *ce* maître

1. _____ chien   4. _____ niche   7. _____ maître

2. _____ chien   5. _____ niche   8. _____ maître

3. _____ chien   6. _____ niche   9. _____ maître

LES TRUCS DU MÉTIER

Pour savoir si un mot est un déterminant

▶ Essaie de remplacer le mot en question par un autre déterminant comme *un, une, du* ou *des*.

– Ça se dit ? Le mot est un **déterminant**.

     une   *des*   *des*   *des*
Sur **cette** plage, je vois **plusieurs** pelles, **trois** chiens et **beaucoup de**[1] châteaux.

– Ça ne se dit pas ? Le mot n'est pas un déterminant.

     ~~*une*~~   ~~*un*~~   ~~*Des*~~
Quelle belle chienne! Laurent la regarde. Plusieurs jouent avec elle.

Attention! Des mots comme *le, la, les, l', plusieurs* peuvent être autre chose que des déterminants. S'ils se placent devant un verbe (V), ce sont des pronoms (pron.).

Je vois **le** beau chien. Je le vois.
     dét.   N   pron. V

1. Certains déterminants sont formés de plus d'un mot.

- **Prouve que les mots en gras dans les GN soulignés sont des déterminants. Pour cela, récris ces GN en remplaçant les déterminants en gras par _un, une_ ou _des_.**

un chien

Noémie part en vacances avec **son** <u>chien</u>. Sultan _la_ suit partout. Dans **leur** <u>grand sac</u>,

Noémie entasse **quelques** <u>balles</u>, **plusieurs** <u>toutous</u> et **ce** <u>coussin</u> dont Sultan raffole.

Plusieurs trouvent que Noémie gâte trop **son** <u>chien</u>. Ils ne savent pas

que Sultan a déjà sauvé **sa** <u>maîtresse</u> de **la** <u>noyade</u>.

- **Lis le texte suivant. Est-ce que des déterminants et des adjectifs accompagnent les noms en gras? Si oui, écris-les dans le tableau.**

Une **entreprise** moscovite* vend des **gâteaux** savoureux. Les **clients** satisfaits les dévorent. Les **propriétaires** de l'**entreprise** gardent jalousement leur précieuse **recette**. On sait seulement que la **viande** rouge en est le principal **ingrédient**. Et que ces **gâteaux** sont destinés à des **chiens**!

> * **moscovite**: qui vient de Moscou, une ville de Russie

	Déterminants qui accompagnent les noms	Noms	Adjectifs qui précisent les noms
1.		**entreprise**	
2.		**gâteaux**	
3.		**clients**	
4.		**propriétaires**	
5.		**entreprise**	
6.		**recette**	
7.		**viande**	
8.		**ingrédient**	
9.		**gâteaux**	
10.		**chiens**	

Atelier 3

Ton objectif : repérer les GN dans les phrases

Activité A

• **Rappel : lis *Le groupe du nom* à la page 98.**

Activité B

• **Dans les phrases suivantes, écris *N* sous les noms, *dét.* sous les déterminants et *adj.* sous les adjectifs.**
• **Ensuite, souligne les GN.**

Ex.: Fuji est un dauphin femelle. Elle est âgée de trente-quatre ans.
     N   dét. N   adj.   dét.   N

1. Elle vit dans un grand aquarium.

2. Une terrible maladie a affecté ce mammifère marin.

3. Ses vétérinaires ont coupé une bonne partie de sa nageoire caudale*.

4. La noble bête a eu la vie sauve, mais elle se déplaçait avec difficulté.

5. Privée de sa queue, elle ne pouvait effectuer aucun saut.

* nageoire caudale : nageoire qui forme la queue

Activité C

• **Lis la suite de l'histoire de Fuji le dauphin.**
• **Souligne et numérote tous les GN de ce texte. Il en reste 17 à trouver.**

Quelques semaines après la chirurgie, un vétérinaire a contacté un grand fabricant de pneus.
        1

Il a demandé qu'on invente une nageoire artificielle pour son dauphin. On a créé

quelques solides nageoires, mais la bête affolée les refusait. Elle avait une peur bleue

de l'étrange prothèse. Après plusieurs longs mois, Fuji a enfin accepté sa nouvelle queue. Elle pèse deux kilogrammes. Chaque jour, Fuji la porte

plusieurs minutes. Elle peut alors sauter et nager comme avant.

Activité D ················

- **Classe tous les GN de l'activité C dans le tableau suivant. Tu dois les classer selon leur construction.**

GN = dét. + N (Il y en a 7.)	**GN = dét. + adj. + N** (Il y en a 5.)
Quelques semaines 1	

GN = N seul (Il y en a 3.)	**GN = dét. + N + adj.** (Il y en a 3.)

Atelier 4

Ton objectif : travailler le genre des noms et des adjectifs

- Rappel : lis *Le genre des noms communs* à la page 96.

- Copie les noms suivants au bon endroit dans le tableau :
  agenda, autobus, éclair, horloge, idée, orage, orange, tour, voile.
  Attention ! Certains noms peuvent aller dans les deux colonnes.
- Mets le déterminant *un* ou *une* devant chaque nom.

Groupes du nom masculins	Groupes du nom féminins

- Lis l'encadré de la page 13.
- Mets les groupes du nom suivants au féminin singulier.

Ex. : un sorcier breton → *une sorcière bretonne*

1. un cruel lutteur → _____

2. un étalon noir → _____

3. un producteur génial → _____

4. un intrépide explorateur → _____

5. un enquêteur virtuel → _____

6. un habile conteur → _____

7. un excellent cavalier → _____

8. un professeur attentionné → _____

Pour mettre les noms et les adjectifs au féminin

▶ Dans certains cas, on ajoute simplement un *e* au mot masculin.

Attention ! Cette marque du féminin ne s'entend pas toujours. Il ne faut pas l'oublier !

un blessé étourdi / une bless**e**e étourdi**e**

▶ Les finales masculines *-en* et *-on* changent pour *-enne* et *-onne*.

un magici**en** mign**on** / une magici**enne** mign**onne**

▶ La finale masculine *-el* change pour *-elle*.

Attention ! Cette marque du féminin ne s'entend pas. Il ne faut pas l'oublier !

un crimin**el** exceptionn**el** / une crimin**elle** exceptionn**elle**

▶ La finale masculine *-er* change pour *-ère*.

un infirmi**er** étrang**er** / une infirmi**ère** étrang**ère**

▶ Les finales masculines *-eux* et *-eur* changent pour *-euse*.

un coiff**eur** amour**eux** / une coiff**euse** amour**euse**

▶ Les finales masculines *-teur* changent habituellement pour *-trice*.

un moni**teur** protec**teur** / une moni**trice** protec**trice**

Toutefois, quelques mots en *-teur* font *-teuse*.

un chan**teur** men**teur** / une chan**teuse** men**teuse**

> *En cas de doute, consulte un dictionnaire.*

▶ Certains mots ne changent pas, mais d'autres sont complètement différents.

un adulte fiable / une adulte fiable ; un garçon / une fille

▶ Il existe aussi d'autres transformations.

blan**c** / blan**che** ; m**ou** / m**olle** ; lon**g** / lon**gue** ; épai**s** / épai**sse**

Activité D ··············

• **Mets les groupes du nom suivants au masculin singulier.**

1. une poule grise → _____

2. une grande actrice → _____

3. une athlète puissante → _____

Atelier 5

Ton objectif : travailler le nombre des noms et des adjectifs

Activité A

- Rappel : lis *Le nombre des noms communs* à la page 96.

Activité B

- Lis l'encadré de la page 15.
- Mets ensuite les groupes du nom suivants au pluriel.

Ex. : un gaz rare → *des gaz rares* _____

1. un kangourou affamé → _____

2. un caillou plat et rond → _____

3. un beau cadeau → _____

4. un œil brillant → _____

5. un manteau court et élégant → _____

6. un tapis bleu → _____

7. un festival international → _____

8. un miroir magique → _____

9. un détail amusant → _____

10. un travail fatigant → _____

11. une nageoire dorsale → _____

12. un neveu matinal → _____

Activité C

- Mets les groupes du nom suivants au singulier.

1. des chats curieux → _____

2. des messieurs impatients → _____

3. des lieux sinistres et mystérieux → _____

4. des pneus lisses et usés → _____

5. des souris blanches → _____

6. des mauvais films → _____

Pour mettre les noms et les adjectifs au pluriel

▶ En règle générale, on ajoute simplement un *s*.

Attention! Souvent, cette marque du pluriel ne s'entend pas. Il ne faut pas l'oublier!

une jolie hirondelle / des jolie**s** hirondelle**s**

un projet fou / des projet**s** fou**s**

un chandail jaune / des chandail**s** jaune**s**

> **Remarques**
> • Sept noms en -*ou* prennent un *x* au pluriel: des bij**oux**, des caill**oux**, des ch**oux**, des gen**oux**, des hib**oux**, des jouj**oux** et des p**oux**.
>
> Les autres noms en -*ou* suivent la règle générale: des cl**ous**, des tr**ous**, des écr**ous**, des fil**ous**, des bis**ous**, des carib**ous**, etc.
>
> • Quelques noms en -*ail* font -*aux*: du cor**ail** / des cor**aux**; un trav**ail** / des trav**aux**, etc.
>
> Les autres noms en -*ail* suivent la règle générale: des épouvant**ails**, des gouvern**ails**, des dét**ails**, des évent**ails**, etc.

▶ Les mots en -*au*, en -*eau* et en -*eu* (sauf *bleu* et *pneu*) prennent un *x*.

Attention! Cette marque du pluriel ne s'entend pas. Il ne faut pas l'oublier!

un noy**au** / des noy**aux**

un nouv**eau** bat**eau** / des nouv**eaux** bat**eaux**

un j**eu** / des j**eux**

un pn**eu** bl**eu** / des pn**eus** bl**eus** (Ces deux mots en -*eu* suivent la règle générale.)

▶ Habituellement, la finale -*al* devient -*aux*.

un chev**al** / des chev**aux**; un orign**al** / des orign**aux**

> **Remarque**
> Quelques mots en -*al* suivent la règle générale. Ce sont, principalement, les mots suivants: des b**als**, des carnav**als**, des festiv**als**, des récit**als**, des accidents fat**als**.

▶ Les mots qui se terminent par -*s*, -*x* ou -*z* ne changent pas au pluriel.

un tapi**s** gri**s** / des tapi**s** gri**s**

un pri**x** avantageu**x** / des pri**x** avantageu**x**

un ne**z** / des ne**z**

> **Remarque**
> À part *bleu*, les adjectifs qui se terminent par le son «eu» prennent un *x* même au singulier:
> un homme joyeu**x** / des hommes joyeu**x**; un garçon talentueu**x** / des garçons talentueu**x**.

▶ Certains mots changent complètement.

un œil / des yeux; un monsieur / des messieurs

Atelier 6

Ton objectif : te rappeler la règle d'accord dans les GN

Activité A ··············

- Rappel : lis *La règle d'accord dans les GN* à la page 99.

Activité B ··············

- Fais les accords nécessaires dans les GN en gras.
- Laisse des traces comme dans l'exemple.

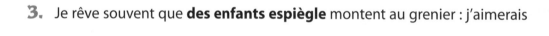

Ex.: Je suis **une photo oublié**, le portrait d'une famille d'un autre siècle.

1. Depuis **plusieurs longue années**, on ne m'a pas jeté un seul regard.

2. Je n'en peux plus de jaunir parmi **des souvenirs abandonné**.

3. Je rêve souvent que **des enfants espiègle** montent au grenier : j'aimerais

   qu'ils me sortent de ma boîte et me tiennent dans **leur mains potelé**.

4. Quand **les petit voisins** viennent en visite, je suis remplie d'espoir.

5. Je voudrais tellement habiter un joli cadre ovale entouré d'**une bordure doré**.

6. On m'accrocherait dans **une pièce ensoleillé** et je serais heureuse !

- Dans les GN en gras, dessine un gros point au-dessus des noms.
- Écris ensuite le genre et le nombre de chaque nom.

f. s.

Ex.: Je ne comprends pas **ton étrange opinion** au sujet des motoneiges.

1. **Mon incroyable idée** te plaira sûrement.

> Mon, ton et son accompagnent les noms masculins. Ils accompagnent aussi les noms féminins qui commencent par une voyelle ou un h muet.

2. **Ton immense amitié** et **tes irrésistibles sourires** me réconfortent.

3. **Les activités extraordinaires** que tu proposes me conviennent.

4. **L'ambulance jaune** et **l'avion rouge** sont à l'atelier de réparation.

5. Roxanne est **une élève responsable**.

Activité D

Voici les GN en gras de l'activité C.
- Raye les adjectifs qu'ils contiennent.
- Récris ces GN en utilisant les adjectifs fournis. Attention aux accords!

Ex.: ton ~~étrange~~ opinion (étonnant) → *ton étonnante opinion*

1. Mon incroyable idée (génial) → _____

2. Ton immense amitié (éternel) → _____

tes irrésistibles sourires (grand) → _____

3. Les activités extraordinaires (fou) → _____

4. L'ambulance jaune (blanc) → _____

l'avion rouge (bruyant) → _____

5. une élève responsable (motivé) → _____

Atelier 7

Ton objectif : t'exercer à faire l'accord dans des GN (1)

Activité A ....

- **Rappel :** lis *La procédure pour vérifier les accords dans les GN* à la page 99.

Activité B ....

- Vérifie l'accord dans tous les GN en gras.
- Laisse des traces de tes vérifications.

Ex. : Profitez de **nos solde annuel** ! **Nos prix réduit** sauront vous ravir.

Club sorcière

_____ _____ _____

1. Offrez-vous enfin **le tapis volant** de **vos rêves**. **Les produits** BelAzur

   _____ _____

   garantissent **des décollages extraordinaire** et **des atterrissage parfaites**.

   _____ _____

   Certain modèle récent offrent même **une cabine chauffé** !

Disponibles en trois formats !

   _____ _____

2. Laissez-vous tenter par **le kilométrage raisonnable** et **la garantie illimité**

   _____ _____

   de **nos balais magique recyclé**. Parfaits pour **les conducteurs débutant**.

Essai gratuit !

   _____ _____

3. **Nos pommes empoisonnés** vous épateront. **Des sorcière crueles**

   _____

   ont mis au point **des poison originals**.

Prière de ne pas goûter !

_____   _____

4. Vous aimez **le confort**? Nous aussi! **Nos cercueils réputés** sauront

_____   _____

satisfaire **les vampires les plus douillets**. Surveillez **les solde** sur

_____ _____

les modèles de **l'année passé**.

_____

5. Vous avez toujours voulu **une maison hantée**? Nous avons

_____

des plan abracadabrants pour vous!

_____   _____

6. **Nos hibous dressés** sont charmants. Aussi, venez voir **nos poux savant**!

_____   _____

7. **Cher client**, venez nombreux! **Cet année** encore, nous offrons

_____

deux bouteille de bave de crapaud pour le prix d'une.

_____

Quel offre exceptionnel!

Atelier 8

Ton objectif : t'exercer à faire l'accord dans des GN (2)

- Récris les adjectifs entre parenthèses et accorde-les.
- Laisse des traces comme dans l'exemple.
- À partir de chaque GN proposé, compose une phrase.

Ex.: une journée (pluvieux) *pluvieuse*

Par une journée pluvieuse, nous marchions dans la forêt.

1. deux randonneurs (épouvanté) _____

2. la forêt (enchanté) _____

3. des bruits (inquiétant) _____

4. une odeur (répugnant) _____

5. des créatures (monstrueux) _____

- Ajoute les GN que ton enseignante ou ton enseignant te dictera.
- Vérifie les accords en laissant des traces comme dans l'activité A.

_____

1 Ce matin, j'ai avalé _____,

_____

2 _____ (et leurs sacs!) de même

_____

3 qu'_____. J'avais encore faim.

_____

4 Dans l'autobus, j'ai dévoré _____,

_____

5 mais je n'ai pas goûté à _____.

_____

6 Dans la cour d'école, j'ai englouti _____

_____

7 et _____. (Un ogre en croissance, ça mange…)

_____

8 Vers la fin de la matinée, j'avais _____.

_____

9 J'ai eu ma leçon : _____, c'est fini!

Atelier 9

Ton objectif : t'exercer à faire l'accord dans des GN plus étendus

Activité A ················

Les GN en gras ont deux adjectifs.

- Écris *adj.* sous chaque adjectif.
- Vérifie l'accord dans les GN en gras en laissant des traces comme dans l'exemple.

m. pl.

Ex. : Sue avait sans doute **des yeux vif et malin.**
                         adj.   adj.

_____   _____

1. **Son énorme et puissante mâchoire** était pleine **de longue dents pointus.**

_____

2. Elle dégageait probablement **un haleine fort et puant.**

_____   _____

3. **Ses large pied griffu** lui donnaient **une démarche rapide et aisé.**

_____

4. Sue était **un magnifique et colossale* tyrannosaure.**

> *** colossale :** énorme

_____

5. **Son précieux et délicat squelette** est exposé au musée de Chicago.

• Vérifie l'accord dans tous les GN du texte suivant. Pour cela, utilise la procédure de la page 99. Tu as 14 erreurs à corriger.

REURES ⟩

1 Agence Fantaisie Presse - L'Association regroupant les dangereux dragon (ARLDD) a fait

2 connaître ses dernière demandes. D'abord, elle souhaite que ses membres travaillent

3 dans un environnement pure et sain. L'ARLDD réclame donc pour tous le droit fondamentale

4 de cesser de fumer. L'Association exige aussi qu'aucun attaque ne se déroule durant

5 les jours fériés. Le dimanche, les princes matinals devront attendre jusqu'à 14 heures pour

6 délivrer leurs impatiente princesses. L'ARLDD demande ensuite l'interdiction permanente et total

7 des téléphone cellulaires. «Pour appeler des renforts, les attaquants imprudents n'ont qu'à

8 envoyer des signals de fumée», précise un membre de l'ARLDD. Finalement, l'Association

9 demande des bijou et des abonnements annuelles à Internet pour les princesse débutantes.

10 En effet, les sanglots continus de certaine jeunes prisonnières troublent les vieus dragons sensibles.

Défi de correction – l'accord dans les groupes du nom

Activité

Le texte suivant comporte des erreurs d'accord dans les GN.

• **Utilise la procédure de la page 99 pour vérifier l'accord dans tous les GN du texte.**

        f. s.   m. s.

1 Madame et Monsieurs,

2 Je dois malheureusement vous aviser de la mauvais conduite de votre fille aîné. Quel peste!

3 Votre grande fille adoré est une élève indiscipliné. Hier, elle a jeté un affreu mauvais sort

4 à ses pauvre camarade qui ont été couverts d'horribles bouton bleu. Ensuite, elle a ensorcelé

5 des boyau qui ont attaché nos jardinier. Ce midi,

6 elle a repeint trois locals à sa manière et elle a changé

7 les nouilles plate en couleuvres! Le comportement

8 de cet effronté est inacceptable. Si elle

9 ne redevient pas la bonne fée dévoué

10 qu'elle était autrefois, je lui retirerai

11 ses pouvoirs magique et ses nouvelles ailes. De plus, je la transférerai de l'EDBF[1] au CDVS[2].

12 Je vous prie de recevoir, Madame, Monsieur, mes meilleurs salutations.

13 *Jacqueline Létoile,* directeur général de l'EDBF

1. EDBF = École des Bonnes Fées.
2. CDVS = Collège des Vilaines Sorcières.

Nombre d'erreurs trouvées : _____ / _____

Nombre d'erreurs corrigées avec succès : _____

Ouf ! Après tout ce travail,
l'accord dans les GN a moins de secrets pour toi !

Fais le point sur ce que tu as travaillé au cours des ateliers 1 à 10.

Pour chaque énoncé, entoure le visage qui correspond le mieux à ta situation.

■ Tu sais reconnaître les noms communs .... ☺ ☺ ☹ ☹

■ Tu sais reconnaître les déterminants et les adjectifs .... ☺ ☺ ☹ ☹

■ Tu sais analyser le genre et le nombre des noms .... ☺ ☺ ☹ ☹

■ Tu sais mettre les noms et les adjectifs au féminin .... ☺ ☺ ☹ ☹

■ Tu sais mettre les noms et les adjectifs au pluriel .... ☺ ☺ ☹ ☹

■ Tu sais repérer les GN dans les phrases .... ☺ ☺ ☹ ☹

■ Tu connais la règle d'accord dans les GN .... ☺ ☺ ☹ ☹

■ Tu sais appliquer la règle d'accord dans les GN .... ☺ ☺ ☹ ☹

■ Tu connais une procédure pour vérifier l'accord dans les GN .... ☺ ☺ ☹ ☹

■ Tu réussis à trouver et à corriger des GN dans lesquels il y a des erreurs d'accord .... ☺ ☺ ☹ ☹

■ Tu vérifies l'accord dans les GN chaque fois que tu écris .... ☺ ☺ ☹ ☹

À partir de maintenant, quel objectif personnel te fixes-tu par rapport à l'accord dans les GN ?

_____

_____

Ateliers 11 à 28

Tes ateliers pour réussir l'accord du verbe

L'accord du verbe, tu l'as probablement un peu travaillé l'année dernière.

Grâce aux ateliers 11 à 28, tu te remettras en mémoire ce qu'il faut pour appliquer la règle d'accord du verbe de façon efficace. Avec la règle d'accord dans le GN, la règle d'accord du verbe est une des plus utiles en français. Pourquoi? Parce que dans les phrases que tu écris, il y a habituellement un ou plusieurs verbes.

1 Tu dois savoir reconnaître les **verbes**.

C'est ce que tu travailleras dans les ateliers 11 et 12.

2 Tu dois savoir repérer le **sujet**.

C'est ce que tu travailleras dans les ateliers 13 et 14.

3 Tu dois faire un bout de chemin en **conjugaison**.

C'est ce que tu feras dans les ateliers 15, 18, 20, 23 et 24.

Pour réussir l'accord du verbe

6 Tu dois savoir surmonter quelques obstacles dans l'accord du verbe.

C'est ce que tu feras dans les ateliers 22, 26 et 27.

5 Tu dois t'exercer à appliquer la règle d'accord du verbe.

C'est ce que tu feras dans les ateliers 17, 19, 21, 25 et 28.

4 Tu dois connaître la **règle d'accord** du verbe.

C'est ce que tu travailleras dans l'atelier 16.

Aussitôt que tu as terminé un atelier,

coche-le dans la liste suivante. Colorie aussi les visages
pour indiquer comment tu as trouvé l'atelier :

très facile ☺

facile ☺

difficile ☹

très difficile ☹

☐ **11** Se rappeler comment reconnaître les verbes conjugués .... ☺ ☺ ☹ ☹

☐ **12** S'exercer à reconnaître les verbes à l'infinitif .... ☺ ☺ ☹ ☹

☐ **13** Se rappeler ce qu'est le sujet dans une phrase .... ☺ ☺ ☹ ☹

☐ **14** Repérer le sujet dans une phrase .... ☺ ☺ ☹ ☹

☐ **15** Se rappeler les terminaisons du présent et de l'imparfait de l'indicatif .... ☺ ☺ ☹ ☹

☐ **16** Se rappeler la règle d'accord du verbe .... ☺ ☺ ☹ ☹

☐ **17** S'exercer à accorder des verbes .... ☺ ☺ ☹ ☹

☐ **18** Mémoriser les terminaisons du futur simple de l'indicatif .... ☺ ☺ ☹ ☹

☐ **19** S'exercer à accorder des verbes .... ☺ ☺ ☹ ☹

☐ **20** Mémoriser les terminaisons du conditionnel présent de l'indicatif .... ☺ ☺ ☹ ☹

☐ **21** S'exercer à accorder des verbes .... ☺ ☺ ☹ ☹

☐ **22** S'exercer à accorder les verbes quand le sujet a plus d'un noyau .... ☺ ☺ ☹ ☹

☐ **23** Mémoriser les terminaisons du présent de l'impératif .... ☺ ☺ ☹ ☹

☐ **24** Apprendre ce qu'est un verbe au passé composé de l'indicatif .... ☺ ☺ ☹ ☹

☐ **25** S'exercer à accorder des verbes .... ☺ ☺ ☹ ☹

☐ **26** S'exercer à accorder les verbes dans deux cas particuliers .... ☺ ☺ ☹ ☹

☐ **27** Apprendre à différencier des mots comme *ma* et *m'a* .... ☺ ☺ ☹ ☹

☐ **28** Défi de correction : l'accord des verbes .... ☺ ☺ ☹ ☹

Atelier 11

Ton objectif : te rappeler comment reconnaître les verbes conjugués

Activité A ···············

- **Rappel :** lis *Le verbe conjugué* à la page 100.

Activité B ···············

- **Complète les verbes suivants.**

Ex. : Sacha se détend. Il é _c_ _o_ _u_ _t_ e ses disques préférés.

1. Sacha é __ __ __ t un courriel à ses grands-parents.

2. Ils lui manquent. Sacha p __ __ __ e souvent à eux.

3. Les grands-parents de Sacha sont loin. Ils h __ __ __ __ __ nt en Italie.

4. Sacha est déjà allé à Rome, en Italie. Cette grande ville __ __ t magnifique.

5. Grâce à ses grands-parents, Sacha p __ __ __ e un peu l'italien.

6. Quand il va à Rome, Sacha v __ __ __ __ e des musées.

Activité C ···············

- **Lis l'encadré de la page 29.**
- **Lis ensuite les phrases suivantes et montre que les mots en gras sont des verbes. Pour cela, utilise le test 1 comme dans l'exemple.**

_____ ne _____ pas _____

Ex. : Les autruches **creusent** des nids peu profonds pour leurs œufs.

_____

1. Un œuf d'autruche **pèse** près d'un kilogramme et demi !

_____   _____

2. Une femelle **pond** jusqu'à dix œufs. Le mâle **couve** les œufs la nuit.

_____

3. Les petits **sortent** de leur coquille après six semaines.

_____

4. Dès l'âge d'un mois, les oisillons **courent** aussi vite que leurs parents.

Pour savoir si un mot est un verbe conjugué

▶ Fais passer l'un des deux tests suivants au mot en question.

TEST 1 : dans la phrase, essaie de mettre le mot entre *ne* et *pas* (ou entre *n'* et *pas*).

TEST 2 : dans la phrase, essaie de conjuguer le mot à un autre temps.

▶ Si un des tests fonctionne, le mot est bel et bien un **verbe**.

rencontrait / rencontrera (TEST 2)

ne ⸻ pas (TEST 1)   ne ⸻ pas (TEST 1)

Sacha **rencontre** ses cousins italiens. C'est une joyeuse rencontre.

V   X

Activité D ⋯⋯⋯⋯⋯⋯

- **Dans le texte suivant, trouve les verbes conjugués et écris *V* en dessous.**
- **Justifie tes réponses en utilisant le test 2 comme dans la première phrase.**

dormait / dormira

1 Minet dort aux pieds de Justine. Tout à coup, un cauchemar agite

V

2 la fillette. Sans le vouloir, elle frappe Minet. Le pauvre, il tombe au sol.

3 Un peu froissé, Minet va dans la cuisine. Zut! Ses bols sont vides!

4 Soudain, on ouvre la porte. Sans hésiter, Minet sort sur le balcon.

5 Il croquerait bien une ou deux souris... Catastrophe! Il pleut!

6 Le matou fait demi-tour. Trop tard, on ferme la porte... Quelle vie de chat!

Atelier 12

Ton objectif : t'exercer à reconnaître les verbes à l'infinitif

Activité A

• **Rappel :** lis *Le verbe à l'infinitif* à la page 100.

LES *TRUCS* DU MÉTIER

Pour trouver l'infinitif d'un verbe conjugué

▶ Ajoute les mots *il faut* devant le **verbe conjugué**.

Verbes à l'infinitif

Yan **annonce** une grande nouvelle.	→	*Il faut* annoncer…
Léna **a vu** ses parents.	→	*Il faut* voir…
Je **veux** de l'aide.	→	*Il faut* vouloir…
Tu **es allé** au cinéma.	→	*Il faut* aller…

Les verbes à l'infinitif ne s'accordent avec rien. On les écrit toujours de la même manière.

Activité B

• **Mets à l'infinitif les verbes conjugués suivants.**

1. Le lion rugit : _____
2. Vous dites : _____
3. Elle pense : _____
4. Nous lisons : _____
5. Tu choisis : _____
6. Elles ont crié : _____
7. Il a lu : _____
8. Sortez : _____
9. J'ai ri : _____
10. Vous avez vu : _____
11. On prendra : _____
12. Nous avons fini : _____
13. Tu as grandi : _____
14. Ils veulent : _____
15. Le prix monte : _____
16. Lina danse : _____
17. Léon a gagné : _____
18. Fred arrive : _____
19. Anne téléphone : _____
20. Je chantais : _____

- **Dans les phrases suivantes, écris _V_ sous les verbes conjugués et _VInf_ sous les verbes à l'infinitif. Tu dois trouver neuf verbes conjugués et quatre verbes à l'infinitif.**

Ex.: Un groupe de 17 touristes part marcher dans les Andes, au Chili.
$\qquad$ V $\quad$ VInf

1. Sans le remarquer, le groupe quitte la piste et s'égare en montagne.

2. Le guide avise les touristes de la situation. Personne ne veut le croire.

3. Les touristes pensent que le guide blague! Celui-ci ne sait pas comment réagir.

4. Le lendemain, une équipe finit par retrouver le groupe sain et sauf.

5. À ce moment, les touristes comprennent leur erreur.

- **Mets à l'infinitif les neuf verbes conjugués que tu as trouvés dans l'activité C.**

Ex.: _part: partir_

1. _____
2. _____
3. _____
4. _____
5. _____
6. _____
7. _____
8. _____
9. _____

Ton objectif : te rappeler ce qu'est le sujet dans une phrase

> **Activité A** ....

- **Rappel :** lis *Les deux « blocs » de la phrase* à la page 102.

> **Activité B** ....

- **À l'aide de traits, associe les groupes sujets avec les bons groupes du verbe.**

Groupes du verbe

a. atteint plus de 5 mètres.

b. chassent les girafes.

Groupes sujets

c. voient le danger de loin.

1. Les girafes

d. peut dépasser 50 km à l'heure.

2. La taille de la girafe

e. est le mets préféré des girafes.

3. Sa vitesse

f. sont les plus grands animaux terrestres.

4. La feuille d'acacia*

5. Le lion et l'homme

g. dorment seulement deux heures par jour.

6. Deux petites cornes

h. peuvent vivre plus de 25 ans.

i. poussent sur la tête des girafes.

> * **acacia** : arbre à fleurs
> blanches ou jaunes

j. impressionne les gens.

> **Activité C** ....

- **Classe le groupe sujet et le groupe du verbe des phrases suivantes dans le tableau de la page 33.**

Ex. : Les humains sont très poilus.

1. Des millions de poils couvrent presque tout le corps d'un adulte.

2. Les humains adultes ont autant de poils que les gorilles.

3. Les poils du gorille sont épais, longs et bien visibles.

4. Les poils et les cheveux se forment dans les follicules* pileux**.

5. Les follicules ovales produisent des cheveux frisés.

6. Les cheveux droits sortent de follicules ronds.

7. Le cuir chevelu compte environ 100 000 follicules.

8. Nous perdons quotidiennement 80 cheveux.

> *** follicule** : très petite structure en forme de sac

> **** pileux** : qui a rapport aux poils

	Groupe sujet *De qui ou de quoi parle-t-on dans la phrase ?*	Groupe du verbe *Que dit-on à propos du sujet dans cette phrase ?*
Ex.:	Les humains	sont très poilus.
1.		
2.		
3.		
4.		
5.		
6.		
7.		
8.		

Atelier 14

Ton objectif : repérer le sujet dans une phrase

Dans une phrase, c'est souvent un groupe du nom (GN) ou un pronom (pron.) qui forme le sujet.

Sujet et groupe sujet, c'est pareil.

Pour trouver un GN qui forme le sujet

▶ Écris *V* sous le verbe. Ça aide pour la suite.

▶ Utilise un des deux moyens suivants :

MOYEN 1 : mets *c'est* et *qui* autour d'un GN. Si ça se dit, ce GN forme le sujet.

C'est   *qui*
Le sable sert à la fabrication du verre.
      V

MOYEN 2 : pose la question *qui est-ce qui* ou *qu'est-ce qui* avant le verbe.
La réponse est le sujet.

Qu'est-ce qui sert...? Le sable.   *Qui est-ce qui dit ? Le professeur.*
Le sable sert à la fabrication du verre, dit le professeur.
     V   V

Pour trouver un pronom qui forme le sujet

▶ Les pronoms **je**, **tu**, **il**, **on** et **ils** forment toujours des sujets. Leur cas est réglé !

▶ Pour les autres pronoms comme **elle**, **nous**, **vous** et **elles**, fais comme pour les GN.

C'est   *qui*   ~~*c'est*~~ *qui*   *Qui est-ce qui dit ? Elle.*
Nous marcherons avec vous demain. Vraiment, j'insiste, dit-elle à ses amis.
    V   V   V

Activité A

- Dans les phrases de la page 35, écris *V* sous les verbes conjugués.
- Mets les sujets entre crochets. Justifie tes réponses en utilisant un des deux moyens.

<u>_Qui est-ce qui avance ?_   _C'est qui_</u>

Ex.: [Une extraterrestre] avance prudemment. [Elle] a un œil clignotant.
                     V   V

1. Son antenne brille dans la nuit et ses oreilles battent au vent.

2. Un couple d'humains arrive à vélo et approche de la créature.

3. Un frisson d'horreur secoue l'extraterrestre.

4. Elle bondit jusqu'à son vaisseau. La soucoupe décolle en silence.

5. Les missions sur Terre sont trop stressantes, soupire la créature.

 **Activité B** ....

- **Dans le tableau, écris le sujet et le verbe des phrases numérotées.**

[1] La noirceur tombait. [2] Le vent soufflait dans les arbres. [3] Nous roulions à vélo. [4] Une lumière clignotait au loin. [5] Je pédalais le plus vite possible dans sa direction. Tout à coup, plus rien. [6] Puis, soudain, une soucoupe s'envole. [7] Elle file vers la Lune. [8] Vous semblez incrédules*...

> *** incrédule**: qui ne croit pas, se méfie

	Sujet	Verbe
1.		
2.		
3.		
4.		

	Sujet	Verbe
5.		
6.		
7.		
8.		

Atelier 15

Ton objectif : te rappeler les terminaisons du présent et de l'imparfait de l'indicatif

Activité A

• Rappel : lis *Le radical et la terminaison des verbes* à la page 100.

Activité B

• Ajoute les terminaisons du présent de l'indicatif dans le tableau suivant.

Terminaisons des verbes en -er	Terminaisons de la plupart des autres verbes (verbes en -ir, en -oir et en -re)		
Aimer	**Finir**	**Savoir**	**Rire**
j'aim_____	je fini_____	je sai_____	je ri_____
tu aim_____	tu fini_____	tu sai_____	tu ri_____
elle aim_____	il fini_____	elle sai_____	il ri_____
nous aim_____	nous finiss_____	nous sav_____	nous ri_____
vous aim_____	vous finiss_____	vous sav_____	vous ri_____
ils aim_____	elles finiss_____	ils sav_____	elles ri_____

Activité C

• Complète cet encadré des principales exceptions au présent de l'indicatif.

Principales exceptions au présent de l'indicatif

Avoir : j'ai, elle a, ils ont.   *Être* : nous sommes, vous êtes, elles sont.

Aller : je _____, il _____, elles vont.

Dire : vous di_____.   *Faire* : vous fai_____, ils font.

Pouvoir : je peu_____, tu peu_____.   *Vouloir* : je veu_____, tu veu_____.

Valoir : je vau_____, tu vau_____.

Certains verbes en -dre comme prendre : il pren_____, elle ren_____, il appren_____...

• **Écris les verbes suivants au présent de l'indicatif.**

1. (trouver) Tu _____
2. (lire) Je _____
3. (croire) Il _____
4. (vouloir) On _____
5. (dire) Vous _____
6. (faire) Vous _____

7. (toucher) Je _____
8. (viser) Tu _____
9. (pouvoir) Je _____
10. (jouer) Ils _____
11. (choisir) Nous _____
12. (gagner) Je _____

• **Ajoute les terminaisons de l'imparfait de l'indicatif dans le tableau suivant.**

Terminaisons de tous les verbes			
Aimer	**Finir**	**Savoir**	**Rire**
j'aim_____	je finiss_____	je sav_____	je ri_____
tu aim_____	tu finiss_____	tu sav_____	tu ri_____
elle aim_____	il finiss_____	elle sav_____	il ri_____
nous aim_____	nous finiss_____	nous sav_____	nous ri_____
vous aim_____	vous finiss_____	vous sav_____	vous ri_____
ils aim_____	elles finiss_____	ils sav_____	elles ri_____

• **Écris les verbes suivants à l'imparfait de l'indicatif.**

1. (trouver) Je _____
2. (lire) Il _____
3. (devoir) Tu _____
4. (vouloir) Elle _____
5. (dire) Vous _____

6. (nourrir) Nous _____
7. (rouler) On _____
8. (cracher) Ils _____
9. (chercher) Il _____
10. (tourner) Je _____

Atelier 16

Ton objectif : te rappeler la règle d'accord du verbe

Activité A ················

- Rappel : lis *La règle d'accord du verbe* à la page 101.

Activité B ················

- Indique la personne (1re, 2e ou 3e) et le nombre (s. ou pl.) des pronoms et des GN suivants.
- Réponds ensuite aux questions.

	Pronoms ou GN	Personne et nombre
a.	Mes nièces	
b.	Nous	
c.	Tu	
d.	Longueuil	
e.	Mathilde	
f.	Il	
g.	Je	
h.	Ses valises	

	Pronoms ou GN	Personne et nombre
i.	Elles	
j.	On	
k.	Des vélos rouges	
l.	Ils	
m.	Elle	
n.	Vous	
o.	Ton courage	
p.	Nos animaux	

1. À quelle personne sont tous les GN ? _____

2. Par quel pronom peux-tu remplacer le GN *Mes nièces* ? _____

3. Par quel pronom peux-tu remplacer le GN *Longueuil* ? _____

4. Par quel pronom peux-tu remplacer le GN *Mathilde* ? _____

5. Par quel pronom peux-tu remplacer le GN *Ses valises* ? _____

6. Par quel pronom peux-tu remplacer le GN *Des vélos rouges* ? _____

7. Par quel pronom peux-tu remplacer le GN *Ton courage* ? _____

8. Par quel pronom peux-tu remplacer le GN *Nos animaux* ? _____

Remplace par il, elle, ils ou elles les GN qui forment des sujets. Cela facilite l'accord du verbe.

- Écris la personne et le nombre des sujets entre crochets.
- En tenant compte du sujet et du verbe, écris la bonne terminaison verbale.
- Mets les verbes entre parenthèses au présent de l'indicatif.

Personne et nombre du **pronom** sujet: 1re s.

Terminaison au présent de l'indic.: e

Ex.: (étudier) [**J'**] _étudie_ les requins.

Personne et nombre du **pronom** sujet: _____

Terminaison au présent de l'indic.: _____

1. (faire) [**Je**] _____ une recherche sur cet animal fascinant.

Personne et nombre du **pronom** sujet: _____

Terminaison au présent de l'indic.: _____

2. (prêter) [**Tu**] _____ ton livre sur les requins à mon équipe.

Personne et nombre du **pronom** sujet: _____

Terminaison au présent de l'indic.: _____

3. (vouloir) [**Je**] _____ travailler ce soir.

Personne et nombre du **noyau** du GN sujet: _____

Terminaison au présent de l'indic.: _____

4. (faire) [Ma **documentation**] _____ l'affaire.

Personne et nombre du **noyau** du GN sujet: _____

Terminaison au présent de l'indic.: _____

* **squale**: poisson glouton

5. (mesurer) [Les **squales*** nains] _____ seulement 16 cm de long.

Personne et nombre du **noyau** du GN sujet: _____

Terminaison au présent de l'indic.: _____

6. (couvrir) [De petites **écailles** coupantes] _____ la peau des requins.

Atelier 17

Ton objectif: t'exercer à accorder des verbes

Activité A ················

- **Rappel:** lis *La procédure pour vérifier l'accord des verbes* à la page 101.

Activité B ················

- Récris les phrases suivantes en mettant chaque groupe sujet au pluriel. Accorde les verbes en conséquence.
- Vérifie l'accord des verbes. Pour cela, fais comme dans l'exemple: utilise la procédure de la page 101.

Ex.: En Indonésie, une plante dégage une odeur de cadavre.

$$3^e\ pl.$$

En Indonésie, [des plantes] dégagent une odeur de cadavre.
V

1. La plante produit une fleur spectaculaire.

2. Cette fleur exceptionnelle mesure près de 2,50 mètres.

3. L'étrange plante fleurit tous les 10 ans.

4. Malgré l'odeur, elle attire les visiteurs.

Activité C ·············

Dans les phrases suivantes, des verbes sont mal accordés.

• Vérifie l'accord de tous les verbes. Pour cela, utilise la procédure de la page 101.
   Tu dois trouver et corriger cinq erreurs.

RREURS Ex.: Chaque automne, Churchill vit une invasion d'ours polaires.

1. Plusieurs ours forme des bandes à quelques kilomètres de cette ville du Manitoba.

2. Ces bêtes attende la formation de la glace sur la baie d'Hudson!

3. Les ours affamés entrent parfois dans la ville et fait des ravages.

4. Autrefois, on abattaient ces ours.

5. Aujourd'hui, on met les ours en prison!

6. Une patrouille capturent les ours délinquants.

7. Elle relâche les prisonniers une fois la glace prise.

8. Ils fuient alors sur la banquise.

Atelier 18

Ton objectif : mémoriser les terminaisons du futur simple de l'indicatif

Activité A ·············

- Ajoute les lettres qui manquent pour conjuguer les verbes suivants au futur simple.

Verbes en -er		
Aimer	**Trouver**	**Penser**
j'aim_____	je trouv_____	je pens_____
tu aim_____	tu trouv_____	tu pens_____
elle aim_____	il trouv_____	elle pens_____
nous aim_____	nous trouv_____	nous pens_____
vous aim_____	vous trouv_____	vous pens_____
ils aim_____	elles trouv_____	ils pens_____

Autres verbes (verbes en -ir, en -re et en -oir)		
Finir	**Devoir**	**Rire**
je fini_____	je dev_____	je ri_____
tu fini_____	tu dev_____	tu ri_____
il fini_____	elle dev_____	il ri_____
nous fini_____	nous dev_____	nous ri_____
vous fini_____	vous dev_____	vous ri_____
elles fini_____	ils dev_____	elles ri_____

- À partir de tes réponses à l'activité A, complète l'encadré suivant.
- Réponds ensuite à la question sous l'encadré.

Mémo

Les terminaisons du futur simple de l'indicatif

• Avec **je** (1re s.)	Les verbes en -er[1] se terminent par _____.	J'aim_____.
	La plupart des autres verbes se terminent par _____.	Je ri_____.
• Avec **tu** (2e s.)	Les verbes en -er[1] se terminent par _____.	Tu aim_____.
	La plupart des autres verbes se terminent par _____.	Tu ri_____.
• Avec **il**, **elle**, **on** (3^e s.)	Les verbes en -er[1] se terminent par _____.	Elle aim_____.
	La plupart des autres verbes se terminent par _____.	Il ri_____.
• Avec **nous** (1re pl.)	Les verbes en -er[1] se terminent par _____.	Nous aim_____.
	La plupart des autres verbes se terminent par _____.	Nous ri_____.
• Avec **vous** (2^e pl.)	Les verbes en -er[1] se terminent par _____.	Vous aim_____.
	La plupart des autres verbes se terminent par _____.	Vous ri_____.
• Avec **ils**, **elles** (3e pl.)	Les verbes en -er[1] se terminent par _____.	Ils aim_____.
	La plupart des autres verbes se terminent par _____.	Ils ri_____.

1. Sauf *aller* et *(r)envoyer*.

Quelle différence remarques-tu entre les terminaisons des verbes en -*er* et les terminaisons des autres verbes ?

_____

_____

Activité C

• Écris les verbes suivants au futur simple de l'indicatif.

1. (brunir) Tu _____
2. (siffler) Je _____
3. (vouloir) Tu _____
4. (cuire) On _____
5. (crier) Vous _____
6. (bondir) Tu _____
7. (aller) Elles _____

8. (livrer) Ils _____
9. (sauter) Tu _____
10. (avertir) J'_____
11. (venir) Nous _____
12. (donner) Nous _____
13. (devoir) Elle _____
14. (écrire) Vous _____

Activité D

• Dans le tableau suivant, donne l'infinitif, la personne et le nombre de chaque verbe. Donne aussi sa terminaison. Pour t'aider, consulte le *Mémo* de la page 43.

	Infinitif du verbe	Personne et nombre du verbe	Terminaison du verbe
Ex.: Nous grandirons.	grandir	1re pl.	rons
1. Ils laveront la table.			
2. Jasmine bercera Léa.			
3. Vous jaserez.			
4. Je devrai.			
5. Elles rêveront.			
6. Tu reliras.			
7. Léon mangera peu.			
8. Vous finirez.			
9. On saura tout.			
10. Nina dormira.			

Les verbes du tableau suivant sont au présent, à l'imparfait et au futur simple de l'indicatif.

• Vérifie s'ils sont bien écrits et fais les corrections nécessaires.

Verbes au futur simple de l'indicatif	Ce verbe est...		Corrections (si nécessaire)
	bien écrit	mal écrit	
Ex.: elle finiera		X	finira
Ex.: vous irez	X		—
1. je pourra			
2. tu demande			
3. tu entrera			
4. on ouvrira			
5. tu riais			
6. j'approche			
7. ils photographie			
8. elle vendra			
9. vous partirez			
10. nous trouvrons			
11. ils jouent			
12. ils jouront			
13. nous rierons			
14. vous grandirez			
15. tu filais			
16. ils danserons			
17. tu comprendra			
18. elles pensaient			

Atelier 19

Ton objectif : t'exercer à accorder des verbes

Activité A ···············

- Fais de courtes phrases à partir des indications données.
- Montre que tes verbes sont bien accordés. Pour cela, utilise la procédure de la page 101.

Ex.: (vouloir, imparf.) [Zoé] _voulait téléphoner._
3e s.
V

1. (bondir, futur s.) Je _____

2. (faire, imparf.) Tu _____

3. (louer, futur s.) Je _____

4. (laver, imparf.) Nous _____

5. (devoir, futur s.) Mathis _____

6. (penser, futur s.) On _____

7. (croire, présent) Elle _____

- Lis le texte suivant.
- Écris *V* sous les verbes conjugués et mets les sujets entre crochets.
- Récris ensuite ce texte en mettant les verbes au présent de l'indicatif.

Mistigri le chat faisait toujours le même cauchemar. Des souris géantes tentaient de le capturer.

Il réussissait à fuir, mais des oiseaux terrifiants arrivaient à l'enlever. Voilà pourquoi

il ne chassait jamais. Dès qu'il ouvrait l'œil, Mistigri réclamait du mou et des croquettes...

_____

_____

_____

_____

_____

_____

_____

_____

_____

_____

_____

Atelier 20

Ton objectif : mémoriser les terminaisons du conditionnel présent de l'indicatif

Activité A ···············

- Ajoute les lettres qui manquent pour conjuguer les verbes suivants au conditionnel présent.

Verbes en -er		
Aimer	**Trouver**	**Penser**
j'aim_____	je trouv_____	je pens_____
tu aim_____	tu trouv_____	tu pens_____
elle aim_____	il trouv_____	elle pens_____
nous aim_____	nous trouv_____	nous pens_____
vous aim_____	vous trouv_____	vous pens_____
ils aim_____	elles trouv_____	ils pens_____

Autres verbes (verbes en -ir, en -re et en -oir)		
Finir	**Devoir**	**Rire**
je fini_____	je dev_____	je ri_____
tu fini_____	tu dev_____	tu ri_____
il fini_____	elle dev_____	il ri_____
nous fini_____	nous dev_____	nous ri_____
vous fini_____	vous dev_____	vous ri_____
elles fini_____	ils dev_____	elles ri_____

- À partir de tes réponses à l'activité A, complète l'encadré suivant.
- Réponds ensuite aux questions sous l'encadré.

Mémo

Les terminaisons du conditionnel présent de l'indicatif

• Avec **je** (1re s.)	Les verbes en -er[1] se terminent par _____ .	J'aim_____ .
	La plupart des autres verbes se terminent par _____ .	Je dev_____ .
• Avec **tu** (2e s.)	Les verbes en -er[1] se terminent par _____ .	Tu aim_____ .
	La plupart des autres verbes se terminent par _____ .	Tu dev_____ .
• Avec **il**, **elle**, **on** (3e s.)	Les verbes en -er[1] se terminent par _____ .	Elle aim_____ .
	La plupart des autres verbes se terminent par _____ .	Il dev_____ .
• Avec **nous** (1re pl.)	Les verbes en -er[1] se terminent par _____ .	Nous aim_____ .
	La plupart des autres verbes se terminent par _____ .	Nous dev_____ .
• Avec **vous** (2e pl.)	Les verbes en -er[1] se terminent par _____ .	Vous aim_____ .
	La plupart des autres verbes se terminent par _____ .	Vous dev_____ .
• Avec **ils**, **elles** (3e pl.)	Les verbes en -er[1] se terminent par _____ .	Ils aim_____ .
	La plupart des autres verbes se terminent par _____ .	Ils dev_____ .

1. Sauf *aller* et *(r)envoyer*.

Quelle différence remarques-tu entre les terminaisons des verbes en -er et les terminaisons des autres verbes ?

_____

_____

À quel autre temps de l'indicatif as-tu remarqué la même chose ?

_____

Le conditionnel présent te fait penser à quel autre temps de l'indicatif ?

_____

Atelier 20 (suite)

Activité C ·············

- Écris les verbes suivants au conditionnel présent de l'indicatif.

   1. (lire) Tu _____

   2. (tirer) Tu _____

   3. (devoir) Je _____

   4. (dire) Tu _____

   5. (lier) On _____

   6. (agir) Vous _____

   7. (aller) Ils _____

   8. (lancer) Nous _____

   9. (pincer) Elles _____

   10. (finir) Nous _____

Activité D ·············

- Dans les phrases suivantes, ajoute les verbes *être* et *faire*: écris *être* à l'imparfait et *faire* au conditionnel présent.

   Ex.: Si j'*étais* _____ en congé, je *ferais* _____ une randonnée à vélo.

   1. Quel beau lac! S'il _____ gelé, on _____ une

   patinoire dessus.

   2. Si tu _____ gentil avec tes amis, ils _____ tout pour toi.

   3. Si on _____ dans le Grand Nord, il _____ très froid.

   4. Lambert est parti. S'il _____ là, tu _____ une scène.

Activité E ·············

- Dans les phrases suivantes, écris le premier verbe à l'imparfait et le deuxième au conditionnel présent.

   Ex.: (téléphoner, être) Si tu *téléphonais* _____, je *serais* _____ rassurée.

   1. (cesser, jouer) Si la pluie _____, nous _____ dehors.

   2. (rugir, avoir) Si le lion _____, tu _____ peur.

   3. (être, grimper) Si j'_____ en forme, je _____

   plus de montagnes.

   4. (souffler, voler) Si le vent _____, nos cerfs-volants _____.

Les verbes du tableau suivant sont au présent, à l'imparfait, au futur simple et
au conditionnel présent de l'indicatif.

• Donne l'infinitif, le temps, la personne et le nombre de chaque verbe. Donne aussi
sa terminaison.

• Pour indiquer le temps du verbe, utilise les abréviations suivantes:
    – présent: *prés.*;
    – imparfait: *imparf.*;
    – futur simple: *fut. s.*;
    – conditionnel présent: *cond. prés.*

• Pour t'aider avec les terminaisons, consulte les pages 36, 37, 43 et 49.

		Infinitif du verbe	Temps du verbe	Personne et nombre du verbe	Terminaison du verbe
Ex.:	tu volais	voler	imparf.	2e s.	ais
Ex.:	on lit	lire	prés.	3e s.	t
1.	tu rougiras				
2.	je monte				
3.	je montais				
4.	je monterai				
5.	je monterais				
6.	tu finiras				
7.	on finissait				
8.	tu bougerais				
9.	elle bouge				
10.	il finit				
11.	je veux				
12.	nous lirions				

Atelier 21

Ton objectif : t'exercer à accorder des verbes

Activité A ··············

- Écris les verbes qui sont entre parenthèses au conditionnel présent.
- Vérifie l'accord des verbes. Fais comme dans l'exemple. Aide-toi de la procédure de la page 101.

3e s.

Ex.: Imagine un monde parfait. [Le soleil] _brillerait_ _____ tous les jours.

(briller)

1. Ses rayons _____ doucement la planète.

(chauffer)

2. Le vent _____ juste un peu.

(souffler)

3. La pluie _____ les champs sans causer d'inondations.

(arroser)

4. Dans ce monde idéal, personne n' _____ faim.

(avoir)

5. La maladie n' _____ pas. La pauvreté non plus.

(exister)

6. J' allais oublier : les récréations _____ toute la journée !

(durer)

- **Ajoute les verbes que ton enseignante ou ton enseignant te dicte.**

Texte 1

Tu _____ 1 _____ des espadrilles? _____ 2 _____ -tu

qu'une compagnie _____ 3 _____ maintenant des espadrilles «réglables»?

Une puce _____ 4 _____ leur degré de fermeté: plus ou moins rigide, selon

le terrain. Un jour, on _____ 5 _____ peut-être la chaussure avec système

de navigation intégré! Elles _____ 6 _____ nos pas dans le plus grand confort.

Texte 2

Tu _____ 1 _____ te baigner, mais tu _____ 2 _____ des lunettes?

Fini les ennuis! Une compagnie _____ 3 _____ de créer les lunettes sans branches.

Elles _____ 4 _____ en place au moyen de bandes adhésives. En prime,

ces bandes _____ 5 _____ l'eau d'entrer. Et si ces lunettes

_____ 6 _____ à la mode en dehors de la piscine? Avec des vitres

collées au visage, nous _____ 7 _____ à des mouches géantes!

Texte 3

Bonne nouvelle pour plusieurs amputés: la jambe bionique _____ 1 _____ !

Cette prothèse «intelligente» _____ 2 _____ faire les bons mouvements

aux bons moments. Grâce à elle, des amputés _____ 3 _____ normalement

et _____ 4 _____ les escaliers aisément.

Atelier 22

Ton objectif : t'exercer à accorder les verbes quand le sujet a plus d'un noyau

Les sujets à plus d'un noyau

- Le **[sujet à plus d'un noyau]** est toujours pluriel.

> 3ᵉ pl.
> (Ils)
> **[Justine et Pedro]** patinent depuis une heure.

> 3ᵉ pl.
> (Ils)
> **[Elle et lui]** patinent depuis une heure.

> 3ᵉ pl.
> (Elles)
> **[Ma cousine, ma mère et ma sœur]** patinent depuis une heure.

La règle d'accord du verbe ne change pas !

Activité A · · · · · · · ·

- Écris les verbes entre parenthèses au présent de l'indicatif.
- Montre que tes verbes sont bien accordés. Pour cela, fais comme dans l'exemple.

> 3ᵉ pl.
> (Ils)
> Ex. : (chercher) [Karine et Paul] *cherchent* _____ un trésor.

1. (partager) [Mon chien et ton chat] _____ le même fauteuil.

2. (venir) [Les lunettes et les pantalons] _____ en paires.

3. (ravager) [La peur, la faim et la misère] _____ l'humanité.

4. (se voir) [Ma sœur et lui] _____ souvent.

5. (assister) [Les athlètes et leur entraîneur] _____ à la compétition.

6. (savoir) [Fabrice et elle] _____ où me trouver.

Activité B

• **Fais des phrases complètes à partir des indications données.**

Ex.: (gonfler, imparf.) Léa et Lino *gonflaient des ballons.* _____

1. (étudier, futur s.) Sarah et Shawn _____

_____

2. (passionner, prés. de l'indic.) Le ski et le soccer _____

_____

3. (finir, futur s.) L'été et les vacances _____

_____

4. (faire, futur s.) Sa force, ton talent et ma patience _____

_____

5. (vouloir, cond. prés.) Paul et ses élèves _____

_____

6. (jouer, prés. de l'indic.) Laura, Luc et Alex _____

_____

7. (traverser, imparf.) La cane et ses canetons _____

_____

Ton objectif : mémoriser les terminaisons du présent de l'impératif

Une caractéristique des verbes à l'impératif

- Les **verbes à l'impératif** se conjuguent sans pronom de conjugaison. Tu verras plus loin qu'on les emploie dans des phrases qui servent à donner des ordres ou des conseils.

  Mange tes brocolis. **Sortons** d'ici. **Faites** attention !

Activité A

- Ajoute les lettres qui manquent pour conjuguer les verbes suivants au présent de l'impératif.

Aimer	Finir	Voir	Rire
aim____	fini____	voi____	ri____
aim____	finiss____	voy____	ri____
aim____	finiss____	voy____	ri____

Activité B

- À partir de tes réponses à l'activité A, complète l'encadré de la page 57.

Activité C

- Conjugue les verbes suivants au présent de l'impératif.

1. (rugir, 2e s.) _____
2. (aller, 2e s.) _____
3. (rendre, 2e pl.) _____
4. (chanter, 2e s.) _____
5. (crier, 2e s.) _____
6. (nourrir, 2e s.) _____
7. (pousser, 1re pl.) _____
8. (calmer, 1re pl.) _____
9. (venir, 2e pl.) _____
10. (parler, 2e s.) _____

Mémo

Les terminaisons du présent de l'impératif

• À la 2ᵉ s.	Les verbes en -*er* se terminent par _____. **Attention! Devant *en* et *y*, on ajoute un *s* pour mieux lier les sons.** Chant**e** des chansons. Chant**es**-*en*. Pens**e** à cela. Pens**es**-*y*.	Aim_____.
	La plupart des autres verbes se terminent par _____.	Fini___, voi___, ri___.
• À la 1ʳᵉ pl.	Les verbes se terminent par _____, comme au présent de l'indicatif.	Aim_____, finiss_____.
• À la 2ᵉ pl.	Les verbes se terminent par _____, comme au présent de l'indicatif.	Aim_____, finiss_____.

Principales exceptions:

Avoir: aie.   *Aller*: va (mais *vas-y*).   *Savoir*: sache.

Dire: dites.   *Faire*: faites.

Activité D

• **Récris ces phrases en mettant le verbe à l'impératif.**

Ex.: Tu tournes à gauche. *Tourne à gauche.* _____

1. Tu demandes de l'aide. _____

2. Tu respires profondément. _____

3. Tu montes ta tente. _____

4. Tu utilises l'ordinateur. _____

5. Tu dessines encore. _____

6. Tu finis ton travail. _____

7. Tu bois un peu d'eau. _____

8. Tu sors le chien. _____

Atelier 24

Ton objectif : apprendre ce qu'est un verbe au passé composé de l'indicatif

Activité A ················

• Compare les verbes des deux colonnes et réponds aux questions.

Verbes *avoir* et *être* au présent		Verbes *glisser* et *aller* au passé composé	
J'ai	Je suis	J'ai glissé	Je suis allé/allée
Tu as	Tu es	Tu as glissé	Tu es allé/allée
Il a	Il est	Il a glissé	Il est allé
Nous avons	Nous sommes	Nous avons glissé	Nous sommes allés/allées
Vous avez	Vous êtes	Vous avez glissé	Vous êtes allés/allées
Elles ont	Ils sont	Elles ont glissé	Ils sont allés

1. Combien de mots y a-t-il dans les verbes au présent ? dans les verbes au passé composé ?

   _____

   _____

2. Quels verbes reconnais-tu dans les verbes au passé composé ? À quel temps sont-ils ?

   _____

Activité B ················

• Lis d'abord l'encadré de la page 59.
• Écris ensuite les informations qui manquent dans le tableau suivant.

	Verbes au passé composé	Participes passés	Verbes à l'infinitif
Ex.:	J'ai fait	fait	(Il faut...) faire
1.	Tu as couru		(Il faut...)
2.	On a aimé		(Il faut...)
3.	Nous sommes venus		(Il faut...)
4.	Vous êtes allés		(Il faut...)
5.	Ils ont fini		(Il faut...)
6.	J'ai pris		(Il faut...)
7.	Tu es rendu		(Il faut...)

8.	Nous avons pu		(Il faut...)
9.	Elles ont parlé		(Il faut...)
10.	Vous avez voulu		(Il faut...)
11.	J'ai chanté		(Il faut...)
12.	Il a nagé		(Il faut...)

Mémo

Les verbes au passé composé de l'indicatif

■ Au **passé composé**, le verbe a deux mots : le premier est l'**auxiliaire** (aux.) ; le deuxième est le **participe passé** (PP).

Nous **avons glissé** au parc.
   aux.   PP

■ L'**auxiliaire** est le verbe *avoir* (parfois le verbe *être*). Il est conjugué au **présent** de l'indicatif. Pour accorder l'auxiliaire, on applique la règle d'accord du verbe.

■ Le **participe passé** provient du verbe à conjuguer. Il ne suit pas la règle d'accord du verbe :

– quand l'auxiliaire est *avoir*, le participe passé ne s'accorde presque jamais ;

– quand l'auxiliaire est *être*, le participe passé reçoit le genre et le nombre du [sujet].

1re s.   2e s.   3e s.   3e pl.   3e pl./f.

[J'] **ai mangé**. [Tu] **as joué**. [Il] **a voulu**. [Les filles] **ont fini**. [Elles] **sont parties**.
   aux. PP   aux. PP   aux. PP   aux. PP   aux. PP
   avoir   *avoir*   *avoir*   *avoir*   *être*

■ Le participe passé (non accordé) de tous les verbes en *-er* se termine par **-é**.

J'ai mang**é** (jou**é**, dans**é**, chant**é**, aim**é**, pens**é**, etc.). Il est n**é** (all**é**, tomb**é**, arriv**é**, etc.).

■ Le participe passé (non accordé) des autres verbes se termine par *-i*, *-u*, *-s* ou *-t*.

J'ai fin**i** (b**u**, pri**s**, fai**t**, di**t**, etc.).

Aucun PP ne se termine par *-er* !
~~J'ai manger.~~

■ Il peut y avoir un ou des <u>mots</u> entre l'**auxiliaire** et le **participe passé**.

J'**ai** <u>tellement</u> **ri**. Tu **as** <u>enfin</u> **terminé**. On n'**a** <u>pas encore tout</u> **fini**.
   aux.   PP   aux.   PP   aux.   PP

Ton objectif : t'exercer à accorder des verbes

Activité A ....

- Écris les verbes proposés au temps demandé.
- Vérifie l'accord des verbes. Pour cela, suis les étapes 2 à 5 de la procédure de la page 101.

_____

Lucas et Sandrine _____ un parachute révolutionnaire.
                        1. inventer, passé composé

_____

Ils _____ le tester sur leur chien. Bouboule _____
        2. vouloir, conditionnel présent   3. flairer, présent de l'indicatif

_____

la mauvaise affaire et _____ de coopérer. Lucas _____
                              4. refuser, présent de l'indicatif   5. trouver, présent de l'indicatif

_____

une autre solution. Leur parachutiste expérimental _____ un sac de farine.
                                                            6. être, futur simple

_____

(Vraiment, ce garçon ne _____ jamais d'idées!)
                              7. manquer, présent de l'indicatif

_____

Lucas et Sandrine _____ au dixième étage, _____
                        8. monter, présent de l'indicatif   9. constater, présent de l'indicatif

_____

qu'il n'y a personne dans la cour et _____ le sac. Malheur!
                                            10. lâcher, présent de l'indicatif

_____

Le parachute _____ de s'ouvrir... Le sac _____
                    11. refuser, présent de l'indicatif   12. atterrir, présent de l'indicatif

au sol. Pendant quelques minutes, un nuage blanc _____ dans la cour.

13. flotter, présent de l'indicatif

Bouboule _____ le dégât et _____

14. regarder, présent de l'indicatif   15. pousser, présent de l'indicatif

_____

un long hurlement d'horreur.

··············

• **Ajoute les passages que ton enseignante ou ton enseignant te dicte.**

_____ un prince jeune et beau. Plus tard, _____
1   2

devenir chevalier. _____ des dragons.
3

_____ des princesses. Un jour, _____
4   5

m'épouser. _____ dans un château. Non! À bien y penser,
6

_____ de cette vie-là. _____
7   8

aussi de devenir roi. Trop d'ouvrage. Que faire? Hummm... _____!
9

_____ crapaud royal ou rien!
10

_____ me jeter un sort.
11

_____ d'un nénuphar à l'autre dans un joli ruisseau.
12

_____ mon bonheur.
13

_____ un seul souci: échapper aux baisers des princesses!
14

Ton objectif : t'exercer à accorder les verbes dans deux cas particuliers

Le sujet séparé du verbe par un mot

- Parfois, il y a un <u>mot</u> ou des <u>mots</u> entre le **[sujet]** et le verbe (ou l'auxiliaire) à accorder. Cela ne change rien à la règle d'accord du verbe.

1re s.

[Je] <u>vous</u> montrerai les plans de mon invention.
V

3e pl.

Une cuillère à crème glacée chauffante, **[mes frères]** <u>en</u> ont fabriqué une.
aux.

1re s.

Tes oreillers réfrigérants, **[je]** <u>ne les</u> utilise jamais.
V

Activité A

- **Écris les verbes entre parenthèses au temps demandé.**
- **Mets les sujets entre crochets.**
- **Raye le mot qui est entre le sujet et le verbe.**
- **Montre que tes verbes sont bien accordés. Pour cela, fais comme dans l'exemple.**

3e s.

Ex. : (impressionner, futur s.) [Mon invention] les *impressionnera* .

1. (livrer, futur s.) Je vous _____ bientôt votre lit volant.

2. (installer, futur s.) Ce moteur, vous l'_____ sous ma trottinette...

3. (ajouter, passé comp.) Le détecteur de père Noël, tu l'_____ au bas.

Les sujets formés d'un long GN

■ Parfois, le GN qui forme le [**sujet**] est long. Cela ne change rien à la règle d'accord du verbe. Pour t'aider à trouver le nom noyau d'un long GN, raye ce qui ne fait qu'apporter des précisions.

3ᵉ s.

[Sam, ~~le père des jumelles,~~] organise une exposition d'inventions farfelues.
V

Activité B

- Mets chaque GN sujet entre crochets, puis raye ce qui peut l'être.
- Écris les verbes entre parenthèses au présent de l'indicatif.
- Montre que tes verbes sont bien accordés. Pour cela, fais comme dans l'exemple.

3ᵉ pl.

Ex.: (être) [Les inventions ~~de mes grandes sœurs~~] *sont* _____ redoutables.

1. (arracher) Les pinces à retirer la mousse de nombril _____ la peau.

2. (causer) Leurs souliers climatisés en cuir d'Italie _____ des engelures.

3. (pincer) Leur machine à faire les lits _____ les doigts.

4. (épuiser) Le cornet de crème glacée motorisé _____ les gourmands!

5. (terroriser) Leur super laveur automatique pour chiens _____ Médor.

Atelier 27

Ton objectif : apprendre à différencier des mots comme *ma* et *m'a*

Pour différencier des mots qui ont la même prononciation, mais pas la même orthographe

Imaginons que, dans une phrase, tu hésites entre *ma* et *m'a*.

Maude (**ma** ou **m'a** ?) raconté une blague.

▶ D'abord, réfléchis à la sorte de mot. Pour cela, utilise tes connaissances.

Je sais que ***ma*** est un déterminant. Il accompagne un nom dans un GN.

Dans ***m'a***, il y a *avoir* à la 3e s.

▶ Ensuite, fais des suppositions. Vérifie tes suppositions en faisant des remplacements.

J'essaie ***m'a*** devant *raconté* parce que *raconté* n'est pas un nom.

Je change le temps de *avoir* pour vérifier si ça fonctionne.

m'avait

Maude **m'a** raconté une blague.   Ça fonctionne : je choisis *m'a*.

Activité A ···············

- Dans chaque parenthèse, entoure le bon mot.
- Justifie chacun de tes choix par un remplacement. Pour cela, fais comme dans l'exemple.

cette   m'avait

Ex. : Je pense que ((ma) / m'a) cousine (ma / (m'a)) compris.

_____   _____   _____

1. (Mon / M'ont) oncle (ta / t'a) permis de sortir (mon / m'ont) vélo.

_____   _____

2. Marie (ma / m'a) grondé. Mes parents (mon / m'ont) fait un discours.

3. J'ai pris (mon / m'ont) sac et je suis monté dans (ma / m'a) chambre !

4. La statue, (on / ont) (la / l'a) volée hier. La caméra a tout filmé.

Activité B

- **Lis le texte suivant.**
- **Trace un X sur les mots en gras mal écrits et corrige-les. Tu dois trouver quatre erreurs.**
- **Pour chaque erreur corrigée, donne une preuve entre parenthèses. Pour cela, fais comme dans la première phrase.**

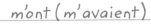

m'ont (m'avaient)

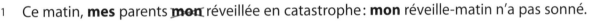

1 Ce matin, **mes** parents ~~mon~~ réveillée en catastrophe : **mon** réveille-matin n'a pas sonné.

2 J'ai raté **mon** autobus. **Ma** mère **ma** reconduite à l'école. Elle **ma** déposée dans **la** cour,

3 devant tous **mes** amis ! J'étais tellement embarrassée ! Mais le pire, c'est que j'avais oublié

4 **mon** lunch. **Mon** père et **ma** mère **son** venus me le porter... en classe ! En prime,

5 ils **mon** donné un bisou de bonne journée... devant toute **ma** classe ! **Mon** avenir est ruiné !

Atelier 28

Défi de correction – l'accord des verbes

Activité ··············

- **Vérifie l'accord de tous les verbes. Il y a 10 erreurs à corriger.**

---

1   À poids égal, tes os serait six fois plus solides qu'une barre d'acier. Ton organisme produira

---

2   assez de salive dans ta vie pour remplir une piscine! Tu sourie? Vingt muscles travail...

---

3   Les adultes respirent à peu près 15 fois par minute. Si tu faisait le calcul, tu arriverais à

---

4   plus de 20 000 respirations par jour. Écoute ton cœur. Ce muscle bats en moyenne

---

5   100 000 fois par jour. Tu veut une idée de la force qu'il utilise pour pomper le sang dans

---

6   tout ton corps? Presses une balle de tennis dans ta main.

7 Le corps est une machine épatante. Tes choix alimentaires joue un rôle vital pour le maintenir

8 en santé. Au cours de leur vie, les humains mange environ 80 000 repas !

9 Ils marches environ 3500 km dans les allées des supermarchés. Attache tes espadrilles !

Nombre d'erreurs trouvées : _____ / 10

Nombre d'erreurs corrigées avec succès : _____

Ouf ! Après tout ce travail,
l'accord du verbe n'a presque plus de secrets pour toi !

Fais le point sur ce que tu as travaillé au cours des ateliers 11 à 28.

Pour chaque énoncé, entoure le visage qui correspond le mieux à ta situation.

- Tu sais reconnaître les verbes conjugués .... ☺ ☺ ☹ ☹
- Tu sais reconnaître les groupes du nom et les pronoms qui forment des sujets .... ☺ ☺ ☹ ☹
- Tu connais par cœur les terminaisons des verbes au présent, à l'imparfait,
  au futur simple et au conditionnel présent de l'indicatif .... ☺ ☺ ☹ ☹
- Tu connais par cœur les terminaisons des verbes au présent de l'impératif .... ☺ ☺ ☹ ☹
- Tu sais comment se forme un verbe au passé composé .... ☺ ☺ ☹ ☹
- Tu connais la règle d'accord du verbe et tu sais l'appliquer .... ☺ ☺ ☹ ☹
- Tu connais une procédure pour vérifier l'accord des verbes .... ☺ ☺ ☹ ☹
- Tu réussis à trouver et à corriger des verbes mal accordés dans les phrases .... ☺ ☺ ☹ ☹
- Tu vérifies l'accord des verbes chaque fois que tu écris .... ☺ ☺ ☹ ☹

À partir de maintenant, quel objectif personnel te fixes-tu par rapport à l'accord du verbe ?

_____

_____

Ateliers 29 à 39

Tes ateliers pour apprendre à mieux construire et à enrichir tes phrases

Depuis le début du cycle, tu as écrit des centaines de phrases ! Tu en sais donc déjà pas mal sur l'ordre des mots et la ponctuation. Les ateliers 29 à 39 te permettront d'aller encore plus loin et d'améliorer les phrases que tu écris chaque jour.

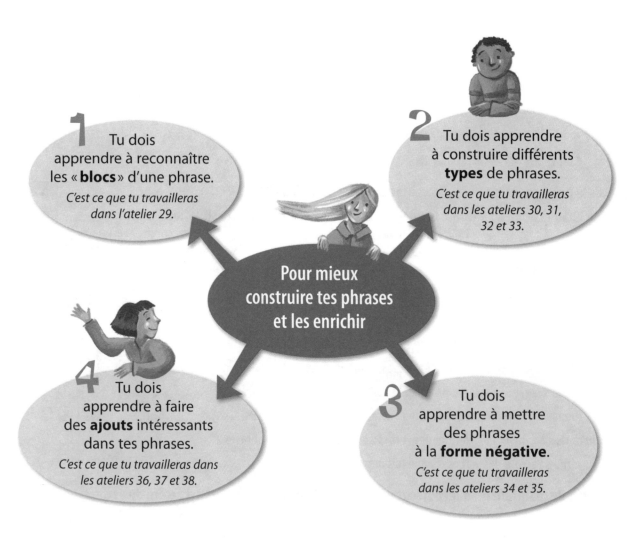

1
Tu dois apprendre à reconnaître les « **blocs** » d'une phrase.
C'est ce que tu travailleras dans l'atelier 29.

2
Tu dois apprendre à construire différents **types** de phrases.
C'est ce que tu travailleras dans les ateliers 30, 31, 32 et 33.

Pour mieux construire tes phrases et les enrichir

4
Tu dois apprendre à faire des **ajouts** intéressants dans tes phrases.
C'est ce que tu travailleras dans les ateliers 36, 37 et 38.

3
Tu dois apprendre à mettre des phrases à la **forme négative**.
C'est ce que tu travailleras dans les ateliers 34 et 35.

Aussitôt que tu as terminé un atelier,
coche-le dans la liste suivante. Colorie aussi les visages
pour indiquer comment tu as trouvé l'atelier :

très facile ☺

facile ☺

difficile ☹

très difficile ☹

☐	**29**	Reconnaître les deux «blocs» des phrases les plus simples	☺ ☺ ☹ ☹
☐	**30**	Construire des phrases interrogatives (1)	☺ ☺ ☹ ☹
☐	**31**	Construire des phrases interrogatives (2)	☺ ☺ ☹ ☹
☐	**32**	Construire des phrases exclamatives	☺ ☺ ☹ ☹
☐	**33**	Construire des phrases impératives	☺ ☺ ☹ ☹
☐	**34**	Mettre des phrases à la forme négative (1)	☺ ☺ ☹ ☹
☐	**35**	Mettre des phrases à la forme négative (2)	☺ ☺ ☹ ☹
☐	**36**	Enrichir des phrases (1)	☺ ☺ ☹ ☹
☐	**37**	Enrichir des phrases (2)	☺ ☺ ☹ ☹
☐	**38**	Mettre une énumération dans une phrase	☺ ☺ ☹ ☹
☐	**39**	Défi de correction : la construction et la ponctuation des phrases	☺ ☺ ☹ ☹

Atelier 29

Ton objectif : reconnaître les deux «blocs» des phrases les plus simples

Activité A

• **Rappel: lis** *Les deux «blocs» de la phrase* **à la page 102.**

Activité B

• **Associe chaque groupe sujet au bon groupe du verbe à l'aide d'un trait.**

1. Josiane
2. Mes amis
3. La musique
4. Vous
5. Tu

a) remplit mes oreilles !

b) joue du tuba.

c) souris de bonheur.

d) appréciez la musique.

e) assistent au concert.

Activité C

• **Dans les phrases suivantes, écris *V* sous chaque verbe.**
• **Trace ensuite une barre oblique pour diviser chaque phrase en deux blocs :**
   – **le premier bloc doit correspondre au groupe sujet;**
   – **le deuxième bloc doit correspondre au groupe du verbe.**

Ex.: Mon appareil photo/est extraordinaire.

V

1. Il prend des images numériques.

2. Une carte mémoire enregistre ces images.

3. Un petit écran permet de voir les photos prises.

4. J'efface les photos ratées.

5. Mes photos sont de véritables chefs-d'œuvre !

- Ajoute un groupe du verbe à chacun des GN sujets suivants.
- Écris *V* sous les verbes.
- Assure-toi d'accorder les verbes avec le nom noyau des GN sujets.

Ex.: Chaque humain *est curieux* .
       V

1. Les chercheurs _____ .

2. L'automobile électrique _____ .

3. La science _____ .

4. Les pommes _____ .

- Ajoute un pronom sujet ou un GN sujet à chacun des groupes du verbe suivants.
- Écris *V* sous les verbes.

Ex.: *Deux amis* _____ jouent à se faire peur.
                                                        V

1. _____ entendent des bruits étranges.

2. _____ souffle très fort.

3. _____ fait trembler la maison.

4. _____ se ferme toute seule.

5. _____ hurle.

Atelier 30

Ton objectif : construire des phrases interrogatives (1)

Activité A

- **Rappel : lis *Les phrases interrogatives* à la page 103.**

Activité B

- **Lis l'encadré de la page 73.**
- **Transforme les phrases suivantes en questions fermées. Pour cela, utilise la méthode 1.**

Ex.: Notre quartier se transforme.

Est-ce que notre quartier se transforme ?

_____

1. L'autobus arrête devant la maison.

_____

_____

2. Le voisin d'en face garde des poules.

_____

_____

3. De gros camions circulent dans la rue.

_____

_____

4. Mes parents songent à déménager.

_____

_____

Activité C

- **Transforme les phrases suivantes en questions fermées. Pour cela, utilise la méthode 2 décrite dans l'encadré de la page 73.**

Ex.: Tu étudies les relations entre voisins.

Étudies-tu les relations entre voisins ?

1. Nous avons besoin d'aide.

_____

2. Vous faites votre possible.

_____

3. Tu veux vraiment régler ce problème.

_____

4. Je devrais suivre tes conseils.

_____

Les phrases interrogatives
Pour transformer une phrase en question fermée

Les questions fermées sont des phrases interrogatives auxquelles on répond par _oui_ ou par _non_.

> **Méthode 1**

– Ajoute **_est-ce que_** ou **_est-ce qu'_** au début de la phrase.

– Mets un **point d'interrogation** (**?**) à la fin de la phrase.

Rappel :
bleu = groupe sujet
jaune = groupe du verbe

Phrases interrogatives

Ce parc vient d'être aménagé. → **Est-ce que** ce parc vient d'être aménagé **?**

Il attire les enfants du coin. → **Est-ce qu'**il attire les enfants du coin **?**

> **Méthode 2** (Utile quand c'est un pronom qui forme le sujet de la phrase de départ.)

– Déplace le **pronom sujet** après le <u>verbe</u>.

– Mets un **trait d'union** entre le <u>verbe</u> et le pronom sujet déplacé.

– Mets un **point d'interrogation** à la fin de la phrase.

Phrase interrogative

Tu <u>vois</u> la piscine. → <u>Vois</u>**-tu** la piscine **?**

Si le <u>verbe</u> est en deux mots, comme au passé composé, le **pronom** se déplace après le premier mot (l'auxiliaire).

Phrase interrogative

Tu <u>as vu</u> la piscine. → <u>As</u>**-tu** <u>vu</u> la piscine **?**

Ton objectif : construire des phrases interrogatives (2)

LES *TRUCS* **DU MÉTIER**

Les phrases interrogatives
Pour transformer une phrase en question ouverte

▶ Les questions ouvertes sont des phrases interrogatives auxquelles on répond autrement que par *oui* ou par *non*.

Phrases de départ		Phrases interrogatives
Tu veux <u>du lait</u>.	→	**Que** veux-tu ?
Mes voisins partiront <u>demain</u>.	→	**Quand** mes voisins partiront-ils ?

▶ **Méthode**

– Remplace <u>une partie de la phrase de départ</u> par un **mot interrogatif** comme *qui, que, quand, où, pourquoi, comment, combien, à qui, à quoi, de qui, de quoi, avec qui, avec quoi*, etc.

– Déplace le pronom sujet après le verbe.

– Mets un **trait d'union** entre le verbe et le pronom.

– Mets un **point d'interrogation** à la fin de la phrase.

Phrases de départ		Phrases interrogatives
Tu es <u>à Manille</u>.	→	**Où** es-tu ? V
Vous êtes <u>trois</u>.	→	**Combien** êtes-vous ? V

Si le sujet est formé d'un GN, on ajoute un **pronom** après le verbe et un **trait d'union**.

Shani part pour se reposer. → Pourquoi Shani part-**il** ?
                                                V

Si la question commence par le mot *qui* remplaçant le sujet, on n'ajoute pas de pronom après le verbe.

Dimitri arrive. → **Qui** arrive ?
                                   V

- **Voici des réponses. Pour chacune d'elles, invente une question ouverte.**
- **Choisis le mot interrogatif qui correspond à l'information soulignée dans la réponse.**

Où es-tu ?

Ex.: Je suis <u>aux Îles-de-la-Madeleine</u>.

_____

1. Je reviendrai <u>dans deux semaines</u>.

_____

2. Nous dormons <u>dans une jolie auberge</u>.

_____

3. Nous somme là-bas <u>pour nous reposer un peu</u>.

_____

4. Nous avons voyagé <u>en automobile et en bateau</u>.

Activité B

- **Dans le texte suivant, ajoute les majuscules et les points qui manquent pour montrer le début et la fin des phrases.**

A

1   aimerais-tu faire de la plongée sous-marine ? moi, j'en rêve j'ai lu

2   des informations sur l'équipement du plongeur combien

3   les bouteilles d'air pèsent-elles elles pèsent environ 20 kilos à quoi

4   l'embout sert-il il permet d'aspirer l'air à quoi les palmes

5   servent-elles à se déplacer vite sous l'eau de quoi s'est-on inspiré

6   pour dessiner les palmes on s'est inspiré des doigts palmés du canard

Ton objectif : construire des phrases exclamatives

Activité A ....

- Compare les phrases exclamatives de la colonne *B* avec les phrases de départ de la colonne *A*.
- Réponds ensuite aux questions.

A Phrases de départ	*B* Phrases exclamatives
Le lac est beau.	Comme le lac est beau !
J'ai chaud.	Comme j'ai chaud !
Tu es courageuse.	Comme tu es courageuse !
Je t'aime.	Que je t'aime !
Nous avons du plaisir.	Que nous avons du plaisir !
Vous m'impressionnez.	Que vous m'impressionnez !

1. Dans quelle colonne les phrases disent-elles les choses avec plus de force ?

_____

2. Par rapport aux phrases de la colonne *A*, quels mots a-t-on ajoutés aux phrases de

la colonne *B* ? _____

3. Comment s'appelle le signe de ponctuation à la fin des phrases de la colonne *B* ?

_____

LES *TRUCS* DU MÉTIER

Pour transformer une phrase en phrase exclamative

▶ **Méthode**

– Ajoute le **mot exclamatif** *comme* ou *que* au début de la phrase.

– Mets un **point d'exclamation** à la fin de la phrase.

Phrases exclamatives

> *Rappel :*
> bleu = groupe sujet
> jaune = groupe du verbe

François est gentil. → **Comme** François est gentil **!**

Il est charmant. → **Qu'il** est charmant **!**

L'an prochain, tu apprendras une autre manière de construire des phrases exclamatives.

- **Récris les phrases suivantes : transforme-les en phrases exclamatives.**

1. Cette nouvelle est triste.

_____

2. Tu me fais rire.

_____

3. Je suis fière de toi.

_____

Activité C

- **Compose une phrase exclamative pour chacune des situations suivantes.**

Ex.: Pour dire que tu ressens une grande joie.

_Comme je suis heureux !_____

1. Pour dire que tu as très soif.

_____

2. Pour dire qu'il est tard.

_____

3. Pour dire que tu t'amuses.

_____

> N'oublie pas de commencer tes phrases par **comme** ou par **que**.

Activité D

- **Dans le texte suivant, ajoute les majuscules et les points qui manquent pour montrer le début et la fin des phrases.**

je me balade dans les eaux claires d'une mer chaude. je fais le tour des rochers comme

je suis bien les coraux sont colorés au loin, j'aperçois un requin qu'il est gros comme il

semble affamé mangerait-il un petit poisson comme moi

Atelier 33

Ton objectif : construire des phrases impératives

- Compare les phrases impératives de la colonne *B* avec les phrases de la colonne *A*.
- Réponds ensuite aux questions.

A Phrases de départ	B Phrases impératives
Tu laves la vaisselle.	Lave la vaisselle.
Vous mangez votre brocoli.	Mangez votre brocoli.
Nous fuyons.	Fuyons !

1. Dans quelle colonne les phrases expriment-elles un ordre ? _____

2. Les phrases de la colonne *B* ont un seul « bloc ». Lequel manque-t-il ?
   _____

3. À quel temps sont les verbes de la colonne *B* ? _____

4. Quel signe de ponctuation y a-t-il à la fin des phrases de la colonne *B* ?
   _____

LES *TRUCS* DU MÉTIER

Pour transformer une phrase en phrase impérative

▶ **Méthode**

Rappel :
bleu = groupe sujet
jaune = groupe du verbe

- Efface le pronom sujet au début de la phrase.

- Mets le verbe au **présent de l'impératif**.

- Selon ce que tu veux dire, mets un **point** ou un **point d'exclamation** à la fin.

Phrases impératives

Tu corriges ton devoir. → Corrige ton devoir.

Tu restes assis. → Reste assis !

S'il y a un **pronom** comme *moi, toi, lui, nous, vous* ou *leur* après le verbe à l'impératif, mets un **trait d'union** après le verbe.

Appelle-**moi**. Tais-**toi**. Parle-**lui**. Appelez-**nous**. Poussez-**vous**. Parlez-**leur**.

• **Compose deux phrases impératives à partir de chaque illustration.**

1.

a) _____

_____

b) _____

_____

2.

a) _____

_____

b) _____

_____

3.

a) _____

_____

b) _____

_____

Activité C ·················

• **Dans le texte suivant, ajoute les majuscules et les points qui manquent pour montrer le début et la fin des phrases.**

1   tu clignes des yeux environ 10 000 fois par jour combien de temps dure chaque

2   clignement il dure à peu près 15 centièmes de seconde multiplie ces éléments divise

3   tout cela par 60 tu obtiens 25 chaque jour, tes yeux sont fermés pendant 25 minutes

4   à cause des clignements chaque clignement nettoie l'œil comme c'est pratique consulte

5   un ou une spécialiste si tu as les yeux secs

Atelier 34

Ton objectif : mettre des phrases à la forme négative (1)

- **Rappel :** lis *Les phrases négatives* à la page 103.

LES TRUCS DU MÉTIER

Pour mettre des phrases à la forme négative (1)

▶ **Méthode 1**

– Mettre le **verbe** entre *ne* et un autre mot de négation comme *pas*, *plus* ou *jamais*.

Phrase positive	Phrases négatives
Mon cheval **galope**.	→ Mon cheval *ne* **galope** *pas*.
	→ Mon cheval *ne* **galope** *plus*.
	→ Mon cheval *ne* **galope** *jamais*.

Rappel :
bleu = groupe sujet
jaune = groupe du verbe

Si le **verbe** est en deux mots, comme au passé composé, *ne* et *pas* encadrent le premier mot (l'auxiliaire).

Mon cheval **a galopé**. → Mon cheval *n'a pas* **galopé**.

Si le **verbe** est à l'infinitif, *ne* et *pas* se placent devant.

Nourrir les chevaux. → *Ne pas* **nourrir** les chevaux.
VInf

Activité B

- **Récris les phrases suivantes : transforme-les en phrases négatives. Pour cela, utilise la méthode 1.**

1. Minouche grimpe dans les arbres.

_____

2. Elle chasse les oiseaux.

_____

3. Ils réussissent à lui échapper.

_____

• **Réponds aux questions suivantes par des phrases négatives.**

Ex.: Est-ce que tu comprends?

Non. *Je ne comprends pas.*

1. Voulez-vous jouer avec nous?

Non. _____

2. Suis-je encore ton ami?

Non. _____

3. Est-ce que tu as ri de moi?

Non. _____

4. Sommes-nous réconciliés?

Non. _____

5. Est-il encore fâché?

Non. _____

Dans le texte suivant, certaines phrases négatives sont mal construites.
• **Trouve-les et corrige-les. Tu dois en corriger quatre.**

1 — Noé, est-ce que tu me prêtes ta bicyclette? demande Marine.

ne

2 — Non. Je veux pas que tu l'abîmes. De plus, tu n'as pas ton casque protecteur.

3 — Allez, Noé. Je te promets de faire attention, supplie Marine. Je ne vais

4 pas rouler dans les flaques de boue. Tu seras pas déçu.

5 — Marine, on te fait plus confiance. Tu respectes jamais la parole donnée.

6 On sait jamais si tu blagues ou si tu es sérieuse. Je regrette…

Ton objectif : mettre des phrases à la forme négative (2)

LES *TRUCS* DU MÉTIER

Pour mettre des phrases à la forme négative (2)

▶ **Méthode 2**

– Commence la phrase par un GN avec le déterminant **aucun** ou **aucune**.

– Ajoute **ne** devant le <u>verbe</u>.

*Peu importe la méthode, le **ne** est obligatoire !*

Phrases négatives

Tous les invités dansent.	→	**Aucun** invité **ne** <u>danse</u>.
Les filles ont chanté.	→	**Aucune** fille **n'**<u>a chanté</u>.

Remarque les verbes au singulier dans ces phrases négatives.

Aucun… ou Aucune… = 0 !

▶ **Méthode 3**

– Commence la phrase par les pronoms **rien** ou **personne**.

– Ajoute **ne** devant le <u>verbe</u>.

Phrases négatives

Tous dansent.	→	**Personne ne** <u>danse</u>.
Tout est tombé.	→	**Rien n'**<u>est tombé</u>.

Remarque les verbes au singulier dans ces phrases négatives.

Personne… ou Rien… = 0 !

Tu verras plus tard qu'il existe d'autres manières de construire des phrases négatives.

Activité A

• **Récris les phrases suivantes : transforme-les en phrases négatives. Pour cela, utilise la méthode 2.**

1. Les chiens jappaient.

_____

2. Toutes les bicyclettes ont disparu.

_____

3. Les policiers sont là.

_____

4. Les cyclistes rateront la course.

_____

- **Réponds aux questions suivantes par des phrases négatives. Utilise la méthode 3 (voir l'encadré à la page 82) pour construire tes phrases.**

Ex.: Est-ce que tout est prêt?

Non. *Rien n'est prêt.* _____

1. Est-ce que tous ont fini?

Non. _____

2. Est-ce que quelque chose cloche?

Non. _____

3. Est-ce que tous ont compris?

Non. _____

4. Est-ce que quelqu'un a téléphoné?

Non. _____

⟨ERREURS⟩ **Dans le texte suivant, certaines phrases négatives sont mal construites. Les erreurs ont rapport au *ne* et à l'accord du verbe.**

- **Trouve ces erreurs et corrige-les.**

Règlements

1. Aucune participante 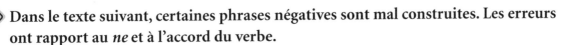 peuvent parler à son entraîneur pendant la course.

2. Rien n'empêche une cycliste de s'arrêter pendant la course.

3. Personne ne sont autorisé à aider les cyclistes.

4. Les échanges de vélos sont pas permis.

5. Aucun spectateur n'ont le droit de donner de l'eau aux cyclistes.

6. Personne pourra contester la décision des juges.

Ton objectif : enrichir des phrases (1)

Pour enrichir des phrases (1)

Une façon d'améliorer tes phrases, c'est d'enrichir les GN qu'elles contiennent.
Il y a plusieurs moyens d'y arriver.

▶ Ajoute un ou deux **adjectifs**.

Ma sœur m'a offert un chien.   →   Ma **grande** sœur m'a offert un **joli** chien **blanc**.
GN   GN   GN   GN

▶ Ajoute un **nom propre**.

Ma sœur m'a offert un chien.   →   Ma sœur **Josianne** m'a offert un chien.
GN   GN

▶ Ajoute un **groupe qui commence par *à* ou *de***.

Le chien est adorable.   →   Le chien *de* **ma sœur** est adorable.
GN   GN

Ce chien est adorable.   →   Ce chien *à* **poils courts** est adorable.
GN   GN

▶ Combine différents moyens.

Le chien est adorable.   →   Le **joli** chien *de* **ma sœur Josianne** est adorable.
GN   GN

Activité A ···············

- **Enrichis les GN suivants de deux manières.**

Ex.: mon frère *mon jeune frère* _____   *mon frère Patrick* _____

1. une boîte _____   _____

2. l'auto _____   _____

3. ce lit _____   _____

- **Souligne les GN du texte suivant.**
- **Récris ce texte en enrichissant ses groupes du nom. Pour cela, utilise au moins une fois chacun des moyens présentés à la page 84.**

> *Dois-tu enrichir **tous** les GN ? Non. Si tes phrases deviennent trop compliquées, tu n'as rien amélioré ! À toi de juger.*

Ma cousine et moi avons travaillé très fort. Notre sapin est une réussite. Une étoile brille au sommet. Des lumières illuminent l'arbre. Des boules complètent l'ensemble. Il ne manque que les cadeaux !

_____

_____

_____

_____

_____

_____

_____

_____

_____

_____

_____

_____

- **Souligne les GN du texte que tu as écrit à l'activité précédente.**
- **Assure-toi que les adjectifs que tu as ajoutés ont reçu le genre et le nombre des noms qu'ils précisent.**

Ton objectif : enrichir des phrases (2)

LES *TRUCS* DU MÉTIER

Pour enrichir des phrases (2)

Pour améliorer tes phrases, tu as au moins deux autres moyens.

▶ Ajoute un ou des **mots** dans le groupe du verbe.

Sandrine a faim.	→	Sandrine a **très** faim.
Cet employé sert les clients.	→	Cet employé sert les clients **avec le sourire**.
Vous sortez du restaurant.	→	Vous sortez du restaurant **calmement**.

▶ Ajoute un troisième « bloc » à tes phrases.

On ira au restaurant.	→	On ira au restaurant ce soir.
	→	Ce soir, on ira au restaurant.

Quand on ajoute le bloc au début de la phrase, il faut une virgule.

Activité A ....

- **Récris les phrases suivantes : enrichis les groupes du verbe en utilisant les mots et les expressions de la liste.**

- avec précision	- follement
- ~~avec tendresse~~	- sur la pointe des pieds
- beaucoup	- très

Ex. : J'ai souri.

J'ai souri avec tendresse.

1. Nous avons travaillé fort.

_____

2. Théo lance le ballon.

_____

3. J'aime lire.

_____

4. Mon frère arrive.

_____

5. On s'amuse.

_____

··············

- **Enrichis les phrases suivantes. Pour cela, ajoute-leur un troisième «bloc».**
- **Utilise les éléments de la liste.**

– demain soir	– parce qu'il fait soleil
– depuis une semaine	– pour se changer les idées
– hier	

Ex.: J'ai revu Mathilde.

Hier, j'ai revu Mathilde. _____

1. Le soleil brille.

_____

_____

2. Jacob ira au bord de la mer.

_____

_____

3. Il porte un chapeau et des verres fumés.

_____

_____

4. Jacob ira voir un film.

_____

_____

Atelier 38

Ton objectif : mettre une énumération dans une phrase

Les énumérations

- Une énumération, c'est une liste. Une énumération peut se composer de **GN**.

  Dans l'histoire, il y a **un fantôme**, **une sorcière** et **une licorne**.

  Attention ! On met généralement un déterminant au début de chaque GN.

- L'énumération peut se composer de **groupes qui commencent par *à*, *de* ou *en***.

  J'ai raconté l'histoire ***à* Éloïse**, ***à* Pierre**, ***à* Gontran** et ***à* Gertrude**.

  Attention ! On répète *à*, *de* ou *en* au début de chaque élément de la liste.

- L'énumération peut aussi se composer d'**adjectifs**.

  Une sorcière **laide**, **méchante** et **rusée** terrorise les enfants.

  La sorcière est **laide**, **méchante** et **rusée**.

  Attention ! On accorde chaque adjectif avec le nom qu'il précise, même si l'adjectif est loin du nom.

  Au fil de tes études, tu travailleras des énumérations composées de verbes, de phrases, etc.

Pour construire une énumération

▶ Entre les deux derniers éléments de l'énumération, on met soit *ou*, soit *et*.

  J'ai raconté l'histoire à Éloïse, à Pierre, à Gontran **et** à Gertrude.

▶ Entre les autres éléments de l'énumération, on met une **virgule**.

  Je raconterai une histoire à Éloïse**,** à Pierre**,** à Gontran ou à Gertrude.

  Attention ! On ne met pas de virgule devant *et* ni devant *ou*.

- **Complète les phrases en leur ajoutant une énumération.**
- **Observe l'illustration pour trouver les éléments des énumérations.**

1.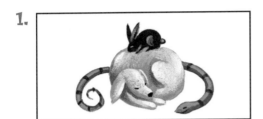

Raphaël voudrait _____

_____

_____

_____

2.

Raphaël pratique _____

_____

_____

_____

3.

Dans sa valise, Raphaël a rangé _____

_____

_____

_____

Activité B ....

- **Les phrases suivantes ont toutes une énumération mal construite.**
- **Souligne les énumérations et fais les corrections nécessaires.**

ERREURES

Ex.: Au cours de ce voyage, j'irai <u>en Europe, Amérique</u>ᵉⁿ <u>et Asie</u>ᵉⁿ.

1. Sur ce mur, je verrais du bleu, du vert du rouge ou jaune.

2. Mon chat raffole des souris oiseaux et araignées.

3. Une maison verte, isolée, et abandonnée se dressait devant nous.

4. Youri arrêtera à Québec, Matane et Percé.

Défi de correction – la construction et la ponctuation des phrases

Activité ....

Dans les phrases suivantes, il y a 11 problèmes :
- 3 phrases négatives mal construites ;
- 3 énumérations mal construites ou mal ponctuées ;
- 5 points manquants ou mal choisis à la fin des phrases.
• Trouve ces problèmes et fais les corrections nécessaires.

ERREURS

1. Je suis émerveillée par les dauphins, les saumons, et les baleines.

2. Les dauphins sont pas des poissons Ce sont des mammifères marins.

3. Est-ce que tu savais que les dauphins sont des mammifères.

4. Le dauphin réussit des bonds de 7 mètres à la verticale.

5. Comme il est habile, beau et gracieux.

6. Combien de temps un dauphin peut-il rester sous l'eau sans respirer ?

7. Le dauphin peut rester sous l'eau environ 20 minutes.

8. Le menu des dauphins se compose surtout

   de sardines, maquereaux et harengs.

9. Les dauphins ont pas de cordes vocales.

10. Ils produisent quand même des sifflements et des cliquetis.

11. Les chercheurs comprennent pas bien le langage des dauphins

12. Les dauphins, phoques, otaries et baleines ont une nageoire caudale horizontale qui sert

à les faire avancer.

13. Le dauphin a des oreilles. Elles ne dépassent pas de sa tête.

14. Que voudrais-tu savoir d'autre sur le roi des océans.

Nombre de problèmes trouvés : _____ / 11

Nombre de problèmes réglés : _____

Ouf ! Après tout ce travail, tu sais améliorer tes phrases !

Fais le point sur ce que tu as travaillé au cours des ateliers 29 à 39.

Pour chaque énoncé, entoure le visage qui correspond le mieux à ta situation.

■ Tu sais choisir le bon point à la fin de toutes sortes de phrases .... ☺ ☺ ☹ ☹

■ Tu sais mettre des phrases à la forme négative .... ☺ ☺ ☹ ☹

■ Tu connais des moyens d'enrichir des phrases .... ☺ ☺ ☹ ☹

■ Tu sais construire des énumérations .... ☺ ☺ ☹ ☹

À partir de maintenant, quel objectif personnel te fixes-tu par rapport aux phrases que tu écris ?

_____

_____

_____

_____

Atelier 40

Défi de correction – synthèse

Voici un exercice de correction dans lequel tu travailleras tout ce que tu as appris dans ce cahier.

Activité ··············

Dans les phrases suivantes, il y a 25 problèmes :
- 10 GN comportant une ou deux erreurs d'accord ;
- 5 verbes mal accordés ;
- 3 phrases négatives mal construites ;
- 2 énumérations mal construites ou mal ponctuées ;
- 5 points manquants ou mal choisis à la fin des phrases.

• Détecte ces problèmes et apporte les corrections nécessaires.

1. Barbe-Noire et Sir Francis Drake était des pirates terrifiant.

2. Les féroce pirates volaient pas seulement des trésor fabuleux.

3. Ils accumulaient aussi des aliments, des médicament, des cordes et des voiles

4. Les marins mangeaient des citrons, des oranges, et des limes.

5. Ces agrumes protégeait le pirates contre le scorbut, une maladie mortel.

6. Pour un pirate, les boucles d'oreilles avait un rôle précis Sais-tu lequel ?

7. Ces important bijous devait sauver le pirate de la noyade.

8. Les pirates dissimulaient des richesses dans leurs vêtements.

9. Ils cachaient des bijoux, des pièces d'or, des clés

10. Les pirates devaient jamais livrer un secret.

11. On débarquais les pirate désobéissants sur un île déserte. Que c'était cruel.

12. Aucun pirate voulait vivre ce cauchemar.

13. As-tu déjà entendu parler de Mary Read, d'Anne Bonny, ou Grace O'Malley

14. Ce sont des femmes pirates célèbres et redoutable.

Nombre de problèmes trouvés : _____ / 25

Nombre de problèmes réglés : _____

À la fin du deuxième cycle, que penses-tu de ton habileté à détecter les problèmes d'accord, de construction de phrase et de ponctuation ?

Pour chaque énoncé, entoure le visage qui correspond le mieux à ta situation.

- Tu sais détecter et corriger des GN où l'accord est mal fait .... ☺ ☺ ☹ ☹
- Tu sais trouver et corriger des verbes mal accordés .... ☺ ☺ ☹ ☹
- Tu sais trouver et corriger certaines phrases mal construites .... ☺ ☺ ☹ ☹
- Tu sais trouver et corriger certaines erreurs de ponctuation .... ☺ ☺ ☹ ☹

À partir de maintenant, quel objectif personnel te fixes-tu par rapport aux phrases que tu écris ?

_____

_____

Ton aide-mémoire grammatical

Notions présentées dans ton aide-mémoire grammatical

Le nom propre

▶ Le **nom propre** commence par une lettre majuscule.
Il sert à donner un nom particulier...

- à des **personnes** :
  Juliette, François, Chantal Petitclerc

- à des **animaux** :
  Médor, Noiraud, Mistigri

- à des **personnages** :
  Harry Potter, Cendrillon, Rantanplan

- à des **lieux**, etc. :
  Amérique, Canada, Québec, Sherbrooke, la rue **Campeau**, la rivière **Batiscan**

Médor   Noiraud   Mistigri

Le nom commun

▶ Le **nom commun** commence par une lettre minuscule.
Devant lui, on peut mettre un déterminant comme *le, la, les, un, une, du* ou *des*.

▶ Le **nom commun** sert à désigner toutes sortes de réalités comme...

- des **personnes**, des **animaux** ou des **objets** :
  une **infirmière**, des **cousins**, un **lion**, une **girafe**, un **crayon**, une **banane**

- des **sentiments**, des **qualités** ou des **défauts** :
  la **haine**, l'**honnêteté**, la **méchanceté**

- des **activités** :
  une **course**, le **plongeon**, le **soccer**, le **lavage**, la **construction**

- des **réalités invisibles** :
  un **lundi**, une **année**, une **histoire**, un **refrain**, des **opinions**

Le genre des noms communs

▶ Les **noms** ont un genre: **masculin** ou **féminin**.

- Les **noms** qui désignent des êtres vivants mâles sont de **genre masculin**.
  On peut mettre *un* ou *le* devant ces **noms**.
  le **père**, un **homme**, le **fils**, un **garçon**, un **athlète**, le **pompier**, un **chien**, un **singe**

- Les **noms** qui désignent des êtres vivants femelles sont de **genre féminin**.
  On peut mettre *une* ou *la* devant ces **noms**.
  la **mère**, une **femme**, la **fille**, une **athlète**, la **pompière**, une **chienne**, une **guenon**

- Les autres **noms** sont soit **masculins**, soit **féminins** sans qu'on puisse toujours expliquer pourquoi.
  une **revue**, un **livre**, une **balle**, un **ballon**, un **chapeau**, une **casquette**

Le nombre des noms communs

▶ Le **nom commun** a un nombre: **singulier** ou **pluriel**.
Le nombre du nom dépend de la quantité.

- Si on parle d'*un*... ou d'*une*..., le **nom** est **singulier**.
  J'ai rencontré un **voisin**.
  Mathis m'a confié son **idée**.
  Votre **canot** est rouge.

- Si on parle de *deux*... ou de *plusieurs*..., le **nom** est **pluriel**.
  J'ai rencontré deux **voisins**.
  Mathis m'a confié ses **idées**.
  Beaucoup de **canots** sont rouges.

Le déterminant

▶ Le **déterminant** (dét.) accompagne un nom (N).

Le déterminant se place avant le nom, à sa gauche.

Il y a parfois un mot ou des mots entre le déterminant et le nom.

un lion ;   **sa** longue crinière ;   **des** rugissements ;   **les** griffes
dét.   N   dét.   N   dét.   N   dét.   N

▶ Le **déterminant** a le même genre (masculin ou féminin) et le même nombre (singulier ou pluriel) que le nom.

m. s.   f. s.   m. pl.   f. pl.

un lion ;   **sa** longue crinière ;   **des** rugissements ;   **les** griffes
N   N   N   N

Les principaux déterminants

(Les déterminants sont en **bleu**.)

- **un** orage,   **une** chance,   **des** arbres,   **des** fleurs
- **du** miel,   **de l'**or,   **de la** chance,   **de l'**eau
- **le** chat,   **l'**avion,   **la** chance,   **l'**hélice,   **les** arbres,   **les** fleurs
- **ce** copain,   **cet** homme,   **cet** avion,   **cette** fête,   **ces** films,   **ces** plantes
- **mon** lit,   **mon** horloge,   **mon** araignée,   **ma** vie,   **mes** livres,   **mes** billes
- **ton** lit,   **ton** horloge,   **ton** araignée,   **ta** vie,   **tes** livres,   **tes** billes
- **son** lit,   **son** horloge,   **son** araignée,   **sa** vie,   **ses** livres,   **ses** billes
- **notre** lit,   **notre** vie,   **nos** livres,   **nos** billes
- **votre** lit,   **votre** vie,   **vos** livres,   **vos** billes
- **leur** lit,   **leur** vie,   **leurs** livres,   **leurs** billes
- **un** an,   **une** fée,   **seize** ans,   **seize** fées,   **vingt-six** ans,   **vingt-six** années
- **quel** froid,   **quelle** chaleur,   **quels** exploits,   **quelles** histoires
- **beaucoup de** miel,   **beaucoup de** joie,   **beaucoup de** lits,   **beaucoup de** fées
- **aucun** chat,   **aucune** chatte
- **chaque** jour,   **chaque** nuit
- **quelques** jours,   **quelques** nuits
- **plusieurs** frères,   **plusieurs** sœurs
- **tout le** mois,   **toute la** semaine,   **tous les** jours,   **toutes les** minutes

L'adjectif

▶ Dans un groupe du nom (GN), l'**adjectif** (adj.) décrit ou précise un nom (N). L'adjectif se place avant ou après le nom.

un **petit** loup;   une **grande** louve;   des bruits **étranges**;   des pistes **fraîches**
adj.   N   adj.   N   N   adj.   N   adj.
GN   GN   GN   GN

▶ L'**adjectif** varie: il a le même genre (masculin ou féminin) et le même nombre (singulier ou pluriel) que le nom qu'il précise.

m. s.   f. s.   m. pl.   f. pl.

un **petit** loup;   une **grande** louve;   des bruits **étranges**;   des pistes **fraîches**
N   N   N   N

Le groupe du nom

▶ Le **nom** (N) et son **déterminant** (dét.) forment un **groupe du nom** (GN). Dans un GN, il peut aussi y avoir d'autres mots, comme des **adjectifs** (adj.), qui précisent le nom.

Ma sœur possède **une automobile grise**.
dét.   N   dét.   N   adj.
GN   GN

▶ Le **nom** est le mot principal du **groupe du nom**. C'est pour ça qu'on dit que le nom est le **noyau** (•) du groupe du nom.

▶ Voici quatre constructions de **groupes du nom**:

> *Dès qu'il y a un **nom**, il y a un **GN**!*

GN = déterminant + nom
•

Cette fille découvre **le Québec**.
dét.   N   dét.   N
GN   GN

GN = nom seul
•

Sarah deviendra **journaliste**.
N   N
GN   GN

GN = déterminant + nom + adjectif
•

Elle a **un travail passionnant**.
dét.   N   adj.
GN

GN = déterminant + adjectif + nom
•

Elle a publié **trois longs articles**.
dét.   adj.   N
GN

La règle d'accord dans les GN

▶ Dans un GN, le **nom** donne son **genre** (masculin ou féminin) et son **nombre** (singulier ou pluriel) au **déterminant** et à l'**adjectif**.

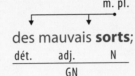

des **potions** magiques;

dét.   N   adj.

GN

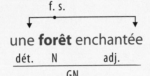

des mauvais **sorts**;

dét.   adj.   N

GN

f. s.

une **forêt** enchantée

dét.   N   adj.

GN

▶ Autrement dit, le **déterminant** et l'**adjectif** reçoivent le genre et le nombre du **nom**.

La procédure pour vérifier l'accord dans les GN

1▶ Souligne les GN et dessine un gros point au-dessus de chaque nom.

ERREURES

Le mois passée, nous avons visité des maison hanté.

2▶ Demande-toi si les noms ont le bon genre et le bon nombre.
Fais les corrections nécessaires.
Ensuite, écris le genre et le nombre du nom au-dessus du gros point.

On parle d'un mois: singulier.

m. s.

f. pl.

On parle de plusieurs maisons: pluriel.

Le mois passée, nous avons visité des maison hanté.

3▶ Fais des flèches qui partent du nom (c'est lui qui donne l'accord) vers le déterminant et l'adjectif, s'il y a lieu (c'est eux qui reçoivent l'accord).
Assure-toi que le déterminant et l'adjectif ont le même genre et le même nombre que le nom.
Corrige-les au besoin.

m. s.   f. pl.

Le mois passée, nous avons visité des maison hanté.

Le verbe conjugué

▶ Le verbe a deux grandes caractéristiques.

1 Le **verbe conjugué** (V) est le seul mot qu'on peut mettre entre *ne* et *pas* (ou *n'* et *pas*).

Je **raffole** de l'hiver. Je *ne* **raffole** *pas* de l'hiver.
   V   V

Tu **aimes** l'été. Tu *n'***aimes** *pas* l'été.
   V   V

2 Le **verbe** est le seul mot qui se conjugue : il change selon le temps et la personne.
Changement de **temps** :

Tu **aim*ais*** l'été. Tu **aimes** l'été. Tu **aim*eras*** l'été.

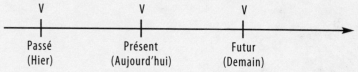

Passé (Hier)	Présent (Aujourd'hui)	Futur (Demain)

Changement de **personne** :

*J'*aime l'été. *Tu* **aimes** l'été. *Il* **aime** l'été. *Nous* **aimons** l'été.

Le verbe à l'infinitif

▶ Les **verbes à l'infinitif** se terminent tous par **-*er*** (jamais *-é* !!!), **-*ir***, **-*oir*** ou **-*re***.
trouv**er**, pens**er**, grand**ir**, nourr**ir**, voul**oir**, dev**oir**, rend**re**, mord**re**

▶ Dans une phrase, un **verbe à l'infinitif** (VInf) suit souvent un *verbe conjugué*.
Igor *adore* **chanter**. Il *veut* **participer** au spectacle de fin d'année.
          VInf   VInf

Le radical et la terminaison des verbes

▶ Le **radical** est la partie gauche du verbe. Elle donne le sens du verbe.
je **pens**e, je **pens**erai, je **pens**ais

▶ La **terminaison** est la partie droite du verbe. Elle change selon la personne et le temps du verbe.
je pens**e**, tu pens**es**, nous pens**ons**
je pens**ais**, je pens**erai**

La règle d'accord du verbe

▶ Le **verbe** reçoit la personne (1re, 2e ou 3e) et le nombre (singulier ou pluriel) du sujet.

- **Si c'est un GN qui forme le sujet** : le nom noyau de ce GN donne sa personne (3e) et son nombre (s. ou pl.) au **verbe conjugué**.

- **Si c'est un pronom qui forme le sujet** : ce pronom donne sa personne (1re, 2e ou 3e) et son nombre (s. ou pl.) au **verbe conjugué**.

$\qquad$ 3e pl. $\qquad\qquad\qquad$ 3e pl.

Trois **cyclistes arrivent** à l'auberge. **Ils rangent** leurs vélos.
$\qquad$ V $\qquad\qquad\qquad\qquad\qquad$ V

La procédure pour vérifier l'accord des verbes

1▶ Écris **V** sous chaque verbe.

Des flocons tombes doucement. Ils couvre la ville.
$\quad$ V $\qquad\qquad\qquad\qquad$ V

Dans ta tête, assure-toi de pouvoir mettre ces verbes entre les mots *ne* et *pas* ou de pouvoir les conjuguer à un autre temps.

2▶ Mets chaque sujet entre crochets .

[Des flocons] tombes doucement. [Ils] couvre la ville.
$\qquad$ V $\qquad\qquad\qquad\qquad$ V

Dans ta tête, assure-toi de pouvoir mettre les [sujets] entre les mots *c'est* et *qui*.

> *Rappel :* je, tu, il, on et ils *sont toujours sujets. Pas besoin de les mettre entre* c'est *et* qui.

3▶ Dessine un gros point au-dessus du noyau de chaque [sujet].
- Si c'est un GN qui forme le sujet, dessine le point au-dessus du nom noyau de ce GN.
- Si c'est un pronom qui forme le sujet, dessine le point au-dessus de ce pronom.

$\quad$ • $\qquad\qquad\qquad\qquad$ •
[Des flocons] tombes doucement. [Ils] couvre la ville.
$\qquad$ V $\qquad\qquad\qquad\qquad$ V

4▶ Écris la personne et le nombre du noyau de chaque sujet.

$\quad$ 3e pl. $\qquad\qquad\qquad$ 3e pl.
$\quad$ • $\qquad\qquad\qquad\qquad$ •
[Des flocons] tombes doucement. [Ils] couvre la ville.
$\qquad$ V $\qquad\qquad\qquad\qquad$ V

5▶ Fais des flèches qui vont du sujet à la finale du verbe.
Assure-toi que le verbe a la même personne et le même nombre que le noyau du sujet.
Corrige-le au besoin.

$\quad$ 3e pl. $\qquad\qquad\qquad$ 3e pl.
$\quad$ • $\qquad\qquad\qquad\qquad$ •
$\qquad\qquad\qquad$ nt $\qquad\qquad\qquad$ nt
[Des flocons] tombes doucement. [Ils] couvre la ville.
$\qquad$ V $\qquad\qquad\qquad\qquad$ V

Les deux «blocs» de la phrase

▶ Dans une phrase, il y a au moins deux «blocs».

● Le premier bloc, le groupe sujet, indique de qui ou de quoi on parle dans la phrase.

● Le deuxième bloc, le groupe du verbe, indique ce qu'on dit à propos du groupe sujet.

Un journaliste rapporte une nouvelle bouleversante.
  Groupe sujet   Groupe du verbe

De qui parle-t-on dans cette phrase? On parle d'*un journaliste*. C'est le groupe sujet.
Qu'est-ce qu'on en dit? On dit de lui qu'il *rapporte une nouvelle bouleversante*. C'est le groupe du verbe.

Son travail est difficile.
  Groupe sujet Groupe du verbe

De quoi parle-t-on dans cette phrase? On parle de *son travail*. C'est le groupe sujet.
Qu'est-ce qu'on en dit? On dit de lui qu'il *est difficile*. C'est le groupe du verbe.

▶ Le groupe sujet se place habituellement **avant** le groupe du verbe.

On peut mettre le groupe sujet entre les mots *c'est* et *qui*.

Le noyau du groupe du verbe est un verbe conjugué (V).

C'est   qui
Des inondations dévastent mon pays.
                        V
    Groupe sujet   Groupe du verbe
    formé d'un GN

C'est   qui
Elles dévastent mon pays.
              V
Groupe sujet   Groupe du verbe
formé d'un pronom

C'est   qui
Les blessés sont nombreux.
                V
    Groupe sujet   Groupe du verbe
    formé d'un GN

C'est   qui
Ces personnes nécessitent des soins d'urgence.
                    V
    Groupe sujet   Groupe du verbe
    formé d'un GN

Les phrases interrogatives

▶ Les **phrases interrogatives** servent à poser une question.
Elles ont un **point d'interrogation** à la fin.

Phrases interrogatives

La foule applaudit. → Est-ce que la foule applaudit **?**

Tu vois la rondelle. → Vois-tu la rondelle **?**

Tu joueras demain. → Quand joueras-tu **?**

Les phrases négatives

▶ Les **phrases négatives** expriment le contraire d'une phrase positive.
On les reconnaît, entre autres, par l'ajout des mots *ne* et *pas*, *ne* et *plus* ou *ne* et *jamais*.

Phrases positives   Phrases négatives

Je parle. → Je **ne** parle **pas**.

→ Je **ne** parle **plus**.

→ Je **ne** parle **jamais**.

Tu arrives à l'heure. → Tu **n'**arrives **pas** à l'heure.

→ Tu **n'**arrives **plus** à l'heure.

→ Tu **n'**arrives **jamais** à l'heure.

Attention! Le **ne** *ou le* **n'** *est obligatoire!*

Mes notes

_____

_____

_____

_____

_____

_____

_____

_____

_____

Liste des *Mémos* et des *Trucs du métier*

Mémo

LES *TRUCS* DU MÉTIER